D1162582

Squelette de faucon crécerelle

Pygargue blagre

Aigle de Verreaux

la vie des rapaces

Faucon crécerelle

Caracara

par
Jemima Parry-Jones
du National Birds of Prey Centre

Photographies originales de Frank Greenaway

Faucon sacre

Pygargue
à tête blanche

GALLIMARD

Aigle fascié

Comité éditorial

Londres :
Gillian Denton,
David Pickering, Julia Harris,
Miranda Smith, Kati Poynor,
Julie Ferris, Charlotte Traill,
Rachel Leach et Nicola Studdart

Paris :
Christine Baker, Clotilde Lefebvre,
Jacques Marziou et Éric Pierrat

Edition française traduite par
Bruno Porlier
et préparée par
Philippe Dubois

Publié sous la direction de

Peter Kindersley,
Jean-Olivier Héron
et
Pierre Marchand

Faucon pèlerin

Vautour percnoptère

ISBN 2-07-050480-8
La conception de cette collection est le fruit
d'une collaboration entre les Editions Gallimard
et Dorling Kindersley

Loi n° 49-956 du 16 juillet 1949
sur les publications destinées à la jeunesse
Dépôt légal : avril 1997.
N° d'édition : 78316
Imprimé à Singapour

Serres d'aigle royal

Serpentaire gymnogène

Vautour à dos blanc africain

SOMMAIRE

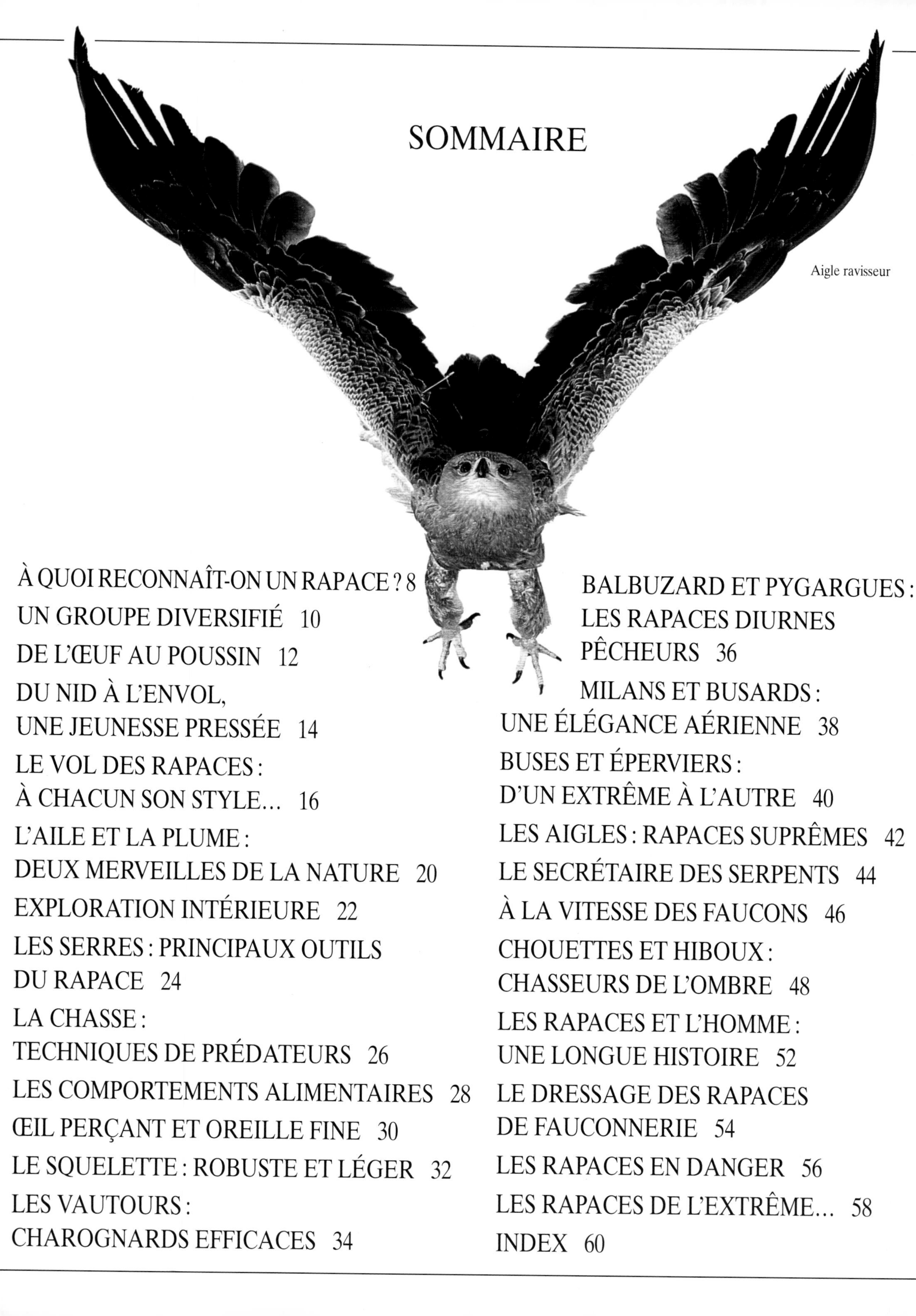
Aigle ravisseur

À QUOI RECONNAÎT-ON UN RAPACE ?

Un rapace est un oiseau chasseur et carnivore, mais cela ne suffit pas à le définir. D'une certaine façon, tous les oiseaux chassent, même s'ils ne font que rechercher des graines ; et des espèces comme le rouge-gorge, les goélands et les pies ont également un régime carné. Les rapaces possèdent tous un bec crochu mais les perroquets aussi, et, chez ces derniers, les plus grands ont un appendice plus puissant que celui de la plupart des rapaces. En fait, ce qui distingue le mieux un rapace de tous les autres oiseaux, ce sont ses pattes munies de serres. Grâce à elles, il peut pêcher un poisson, attraper un oiseau en plein vol, saisir un rongeur dans un champ.

UN RÉGIME PARTICULIER
Le milan des marais, présent en Amérique centrale et du Sud, consomme essentiellement des escargots aquatiques et présente des adaptations liées à cette spécialisation alimentaire. Ses serres sont moins puissantes que celles d'autres rapaces car ses proies ne se débattent pas et son bec s'achève en long crochet fin et recourbé pour extraire les mollusques de leur coquille.

Les rémiges primaires présentent des espaces qui facilitent les manœuvres aériennes et le vol plané.

La queue joue un rôle dans la direction, dans le vol plané et lors des manœuvres de freinage.

Les serres du vautour à dos blanc sont peu puissantes car il se nourrit d'animaux déjà morts.

Les vautours ont de vastes ailes pour planer sans effort.

VIANDE FROIDE
Les vautours ont évolué vers un mode d'alimentation charognard. Dans la nature, une telle spécialisation ne manque pas de sens car les animaux morts sont nombreux ; la nourriture est donc abondante et ne nécessite aucun effort de capture. De fait, les serres des vautours sont devenues moins robustes que celles des autres rapaces. Ils ont toutefois conservé un bec puissant pour dilacérer les chairs. Ce sont en outre de magnifiques planeurs.

UNE AIGLE IMPÉRIALE
L'aigle est souvent qualifié de roi des oiseaux. A travers l'histoire, il a symbolisé tour à tour le soleil, la royauté, la divinité, la puissance et la victoire. Dans les armées napoléoniennes, chaque régiment avait pour enseigne une aigle de bronze comme celle-ci.

Corbeaux et corneilles consomment de la chair de la même manière que de nombreux rapaces.

UN RÉGIME TRÈS RÉPANDU
Les oiseaux carnivores ne sont pas tous des rapaces. Ainsi, les corneilles ont un régime alimentaire semblable à celui des buses, mais elles appartiennent à la famille des corvidés. Elles possèdent un long bec pointu particulièrement efficace pour tuer des proies comme de tout jeunes lapereaux. Mais, comme l'aigle, elles préfèrent découvrir le cadavre d'un animal plutôt que de chasser et de tuer elles-mêmes.

Rémiges primaires

BÂTIS POUR LA CHASSE
Les rapaces sont parfaitement adaptés pour la capture d'autres animaux. Cet aigle ravisseur, habitant l'Afrique et l'Inde, recherche des proies de petite taille. Il possède néanmoins des pattes puissantes et de grandes serres, munies de quatre doigts aux griffes recourbées et acérées, pour saisir ses victimes. Son bec crochu lui sert à déchirer les chairs et à consommer les proies. D'autres rapaces, comme les faucons, utilisent leur bec directement pour tuer leurs proies.

Le faucon émerillon attrape de petits oiseaux et possède un bec court mais puissant.

Le mâle du faucon émerillon possède un plumage bleu ardoisé.

Pattes et serres en extension pour parer à l'atterrissage

SEXE FAIBLE ?
Caractère inhabituel chez les oiseaux, le « dimorphisme sexuel inversé » : les femelles des rapaces sont plus grandes que les mâles. Elles peuvent s'attaquer à des proies plus grosses tandis que les mâles apportent de la diversité dans le régime. Seuls les vautours ne présentent pas ces différences car ils ne se nourrissent que de charognes. Chez quelques espèces, le mâle a un plumage plus coloré que sa compagne.

UN GROUPE DIVERSIFIÉ

Les rapaces vivent sur tous les continents à l'exception de l'Antarctique, occupant, dans les écosystèmes, des niches écologiques variées. Ils se répartissent en deux grands ordres : les *Falconiformes*, constitués par tous les rapaces diurnes appartenant à plus de 290 espèces dans le monde entier, et les *Strigiformes,* nocturnes, qui regroupent plus de 160 espèces de chouettes et de hiboux. Chaque espèce a non seulement un nom vernaculaire, c'est-à-dire une dénomination locale qui varie d'une langue à l'autre, mais aussi un nom scientifique unique qui permet aux ornithologues de nationalités différentes de bien identifier l'oiseau dont ils parlent. Les noms scientifiques des oiseaux cités dans ce livre figurent dans l'index page 60.

Un urubu noir en vol. Les vautours passent des heures en vol plané, scrutant le sol à la recherche de cadavres d'animaux morts.

Le très puissant sarcoramphe (ou vautour) roi

LE BALBUZARD PÊCHEUR

Trop particulier pour être rattaché à un autre groupe, le balbuzard pêcheur est le seul représentant de sa famille. Il possède un mode d'alimentation spécialisé, se nourrissant presque exclusivement de poissons qu'il capture dans l'eau (c'est le seul rapace capable de plonger). Cosmopolite, il vit partout dans le monde près des eaux peu profondes (lacs, rivières, côtes).

PANDIONIDÉS
Balbuzard pêcheur

Balbuzard

Grand-duc du Bengale en vol

La chouette à lunettes, ainsi dénommée à cause de ses marques faciales

Poussins de grand-duc d'Europe de la sous-espèce iranienne

LES VAUTOURS DU NOUVEAU MONDE

Ces vautours vivent en Amérique du Sud et du Nord, occupant là-bas la niche écologique des charognards comme les vautours de l'Ancien Monde dans le reste du globe. Bien que d'aspect assez similaire à ces derniers, les vautours du Nouveau Monde sont en fait plus proches des cigognes que de tout autre rapace et, selon des recherches récentes, ils pourraient bien être déclassés un jour de l'ordre des *Falconiformes*. On compte sept espèces de vautours du Nouveau Monde.

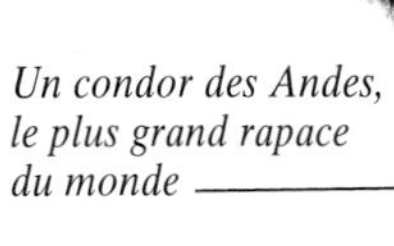

Un condor des Andes, le plus grand rapace du monde

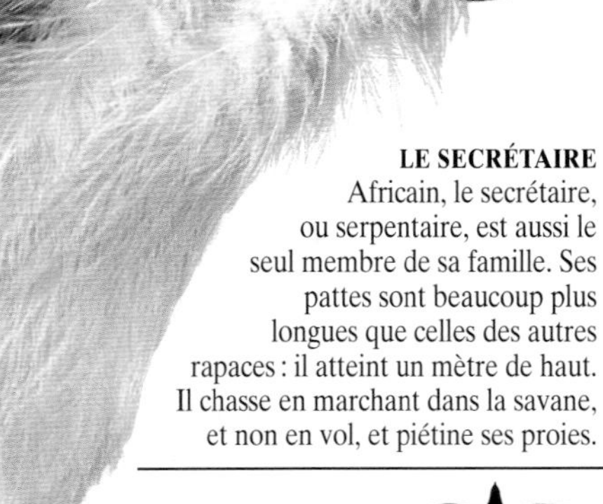

LE SECRÉTAIRE

Africain, le secrétaire, ou serpentaire, est aussi le seul membre de sa famille. Ses pattes sont beaucoup plus longues que celles des autres rapaces : il atteint un mètre de haut. Il chasse en marchant dans la savane, et non en vol, et piétine ses proies.

RAPACES DE LA NUIT

Chouettes et hiboux n'ont pas de parenté directe avec les rapaces diurnes. La plupart sont nocturnes (ils chassent la nuit) ou crépusculaires (à l'aube ou le soir). Leur vue est excellente, surtout la nuit, leur ouïe très fine. Ils volent silencieusement, approchant leur proie furtivement. On compte deux familles : les strigidés (chouettes et hiboux) et les tytonidés ou effraies (p. 49).

L'urubu à tête rouge est le seul rapace à sentir sa nourriture.

SAGITTARIIDÉS
Secrétaire

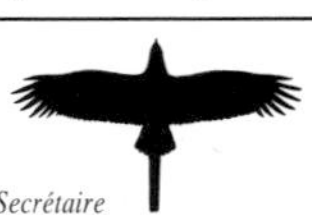

Secrétaire

STRIGIFORMES
Chouettes et hiboux

Chouette

CATHARTIDÉS
Vautours du Nouveau Monde

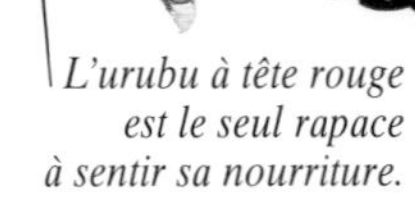

Condor

Chez les faucons, comme ce faucon lanier, la forme pointue des ailes est caractéristique.

Les crécerelles sont les seuls rapaces capables de vol sur place. Celle-ci est une crécerelle américaine.

Les grandes espèces, comme ce faucon pèlerin, sont les oiseaux les plus rapides du monde lorsqu'ils attaquent leur proie en piqué.

Les caracaras sont les seuls falconidés à bâtir un nid au sol.

LA FAMILLE DES FALCONIDÉS
Il existe trois grands groupes de faucons : les faucons vrais, dont fait partie le faucon crécerelle, les faucons forestiers, peu connus, et les fauconnets, qui sont les plus petits des rapaces. Les caracaras, des Amériques, leur sont également rattachés, faisant des falconidés une famille d'une soixantaine d'espèces environ, réparties dans le monde entier.

Les grands accipitridés ont des serres massives et puissantes.

Une serre de l'aigle de Verreaux, africain

Les rapaces n'entrent pas tous de façon évidente dans les classifications scientifiques. Ainsi, le serpentaire gymnogène est à mi-chemin entre le busard et l'épervier.

Les aigles, comme ce pygargue à tête blanche, voient distinctement deux à trois fois plus loin que l'homme.

L'extrémité recourbée de son bec lui permet de détacher des morceaux de la chair de ses proies ; ses côtés la découpent comme des ciseaux.

Ce vautour percnoptère exhibe ici la langue large et musculeuse, typique des accipitridés.

LES ACCIPITRIDÉS
Avec 237 espèces différentes, c'est de loin la plus vaste famille de rapaces. Eperviers, aigles, buses, milans, busards et vautours de l'Ancien Monde sont tous des accipitridés. Leur parenté se traduit dans l'aspect similaire de leurs œufs, de leur langue et de leur cycle de mue. Tous construisent des nids. Ils tuent leurs proies à l'aide de leurs serres (les falconidés utilisent aussi leur bec) et ils expulsent leurs fientes (les falconidés les laissent simplement tomber ; les vautours du Nouveau Monde fientent sur leurs pattes pour se rafraîchir). La plupart des accipitridés portent un bourrelet osseux au-dessus de l'œil.

FALCONIDÉS
Faucons et caracaras

Faucon crécerelle

ACCIPITRIDÉS
Eperviers, milans, buses, aigles, busards, vautours de l'Ancien Monde

Autour — *Milan* — *Buse* — *Aigle royal*

DE L'ŒUF AU POUSSIN

Lorsque revient la saison de reproduction, les mâles tentent de séduire les femelles : ils effectuent des vols de parade, puis leur offrent des proies pour leur prouver qu'ils sont de bons chasseurs capables de nourrir une famille. Une fois formé, le couple entreprend la construction du nid, défendant souvent un territoire tout autour jusqu'à l'envol des jeunes. Une espèce de rapace sur sept, environ, niche en colonies ; c'est le cas de divers faucons et vautours. La période d'incubation des œufs varie de 28 jours chez les petites espèces à 54 jours chez les plus grandes. En général, ce sont les femelles qui couvent. Les mâles les nourrissent alors jusqu'à ce que les petits soient assez gros pour être laissés seuls au nid sans risques.

Œuf de pygargue à tête blanche

Œuf de chouette de l'Oural

Œuf de faucon pèlerin

Œuf de fauconnet d'Afrique

À CHACUN SON ŒUF
Voici quelques œufs grandeur nature qui illustrent la diversité des formes. Ceux des chouettes et hiboux sont plus ronds que ceux des rapaces diurnes. Les condors et les grands vautours n'en pondent qu'un par couvée, les aigles deux ou trois et les petites crécerelles environ six. Quelques espèces, comme le harfang des neiges, en pondent jusqu'à douze.

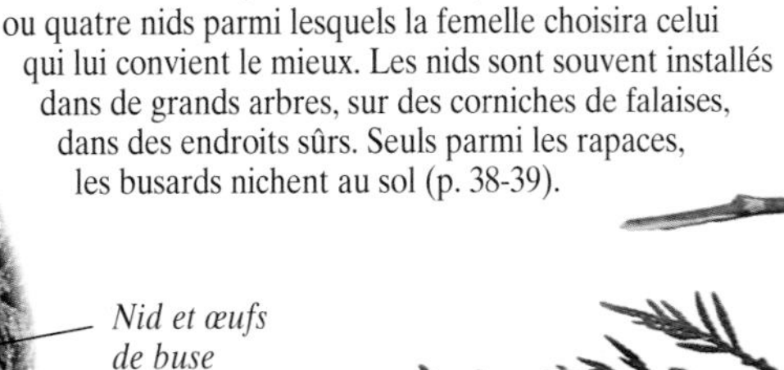

JEUNE COUPLE FONDANT FOYER...
Généralement, le mâle et la femelle construisent leur nid ensemble. Toutefois, chez les autours, le mâle bâtit seul trois ou quatre nids parmi lesquels la femelle choisira celui qui lui convient le mieux. Les nids sont souvent installés dans de grands arbres, sur des corniches de falaises, dans des endroits sûrs. Seuls parmi les rapaces, les busards nichent au sol (p. 38-39).

Nid et œufs de buse

FRATRICIDE
Chez certains aigles, le plus âgé des deux poussins de la couvée tue systématiquement son frère plus faible. Chez d'autres, cela ne se produit que si la nourriture se fait rare. Les jeunes des petits rapaces, au contraire, ne s'attaquent généralement pas entre eux mais ils se livrent à une compétition alimentaire dont le plus faible réchappe rarement.

Chez l'aigle de Verreaux, le premier né des deux jeunes tue toujours le second, même si la nourriture est assez abondante pour les nourrir tous deux.

De grosses branches sont d'abord coincées dans l'écorce, puis entremêlées de brindilles et de feuillages.

GRANDS BÂTISSEURS
Les pygargues à tête blanche (à droite) reviennent tous les ans sur le même nid, le chargeant chaque année de nouveaux branchages. Un nid observé en Floride mesurait 2,90 m de large, 6 m de haut, et pesait 2 tonnes.

UNE VIE FRAGILE
Dans l'œuf, une chambre à air (à droite) se forme à l'extrémité ronde tandis que l'embryon se développe dans une membrane protectrice. Les pesticides, qui polluent parfois les chaînes alimentaires, peuvent tuer le fœtus avant éclosion, rendre les œufs stériles ou les coquilles trop fines et cassantes.

L'intérieur des œufs des accipitridés (p. 11), ici celui d'un autour, est teinté de bleu-vert.

OBLIGATIONS PARENTALES
Le cycle de reproduction du balbuzard (à gauche) dure environ neuf mois, depuis les parades jusqu'à l'émancipation des jeunes. Il s'agit d'une durée moyenne chez les rapaces. La plupart se reproduisent chaque année s'ils le peuvent. Quelques très grosses espèces doivent s'occuper de leur petit pendant plus d'un an, de sorte qu'elles ne se reproduisent qu'une année sur deux.

Premier trou dans la coquille

Le poussin brise la coquille tout autour, puis pousse de toutes ses forces.

Le nouveau-né se repose plusieurs heures avant de prendre son premier repas.

LA NAISSANCE DE L'EFFRAIE
Lorsque l'œuf est prêt à éclore, le poussin pratique un premier trou dans la coquille à l'aide d'une excroissance située à l'extrémité de son bec, appelée diamant. Il pépie aussi, sans doute pour alerter sa mère. Au terme d'un long effort (l'éclosion peut durer trois jours), il finit par briser sa coquille et sortir.

NIDS D'OCCASION
Les chouettes, hiboux, faucons et vautours du Nouveau Monde ne construisent pas de nids. Parfois, ils en réutilisent un vieux, comme l'ont fait les crécerelles dont on voit la couvée ici. Mais le plus souvent, ils se contentent de dégager un espace dans quelque lieu protégé. Il peut s'agir d'une grotte, d'une vieille grange, d'une corniche rocheuse naturelle ou même de celle d'un gratte-ciel. Les chouettes et hiboux choisissent souvent des vieux arbres creux.

Jeune urubu noir de deux jours

DU NID À L'ENVOL, UNE JEUNESSE PRESSÉE

Les jeunes rapaces ont un développement rapide. Durant leurs premières semaines d'existence, ils se contentent de manger, de dormir et de grandir. Sous les climats tempérés, les oiseaux doivent être pleinement développés et capables de chasser avant l'arrivée de l'hiver. Les jeunes éperviers sont prêts à l'envol au bout de 26 jours et sont capables de chasser et de subvenir à leurs besoins quatre semaines plus tard. Les espèces plus grosses grandissent moins vite : un aigle royal s'envole à l'âge de deux mois et demi et s'émancipe trois mois après, ce qui est tout de même assez rapide. Dans les pays chauds, quelques très grandes espèces, comme l'aigle martial ou le condor des Andes, ont une croissance encore plus lente.

EFFRAIE DES CLOCHERS ÂGÉE DE DEUX SEMAINES
Agé de deux semaines, ce poussin d'effraie (p. 13) pèse déjà huit fois plus qu'à sa naissance. Il est en effet passé de 12-14 grammes) à plus de 100 grammes.

LA MÊME À TROIS SEMAINES...
Le poussin va bientôt pouvoir se tenir sur ses pattes. Pour l'heure, il repose encore sur ses chevilles. Il est couvert d'un épais duvet dit secondaire qui lui permet de garder sa chaleur sans l'aide de sa mère.

... À SIX SEMAINES
Les plumes pointent sous sa peau et le disque facial commence à se former.

... À HUIT SEMAINES,
Presque complètement emplumée, la jeune effraie saute et bat fréquemment des ailes pour se muscler. Elle sera prête à l'envol dans deux semaines environ.

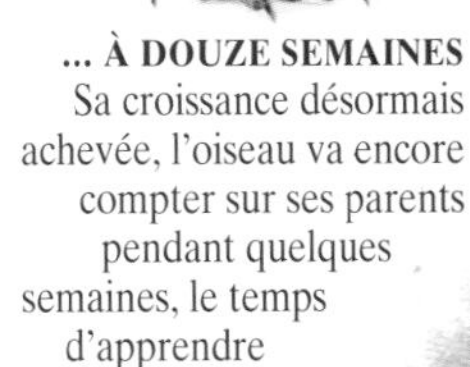

... À DOUZE SEMAINES
Sa croissance désormais achevée, l'oiseau va encore compter sur ses parents pendant quelques semaines, le temps d'apprendre à chasser.

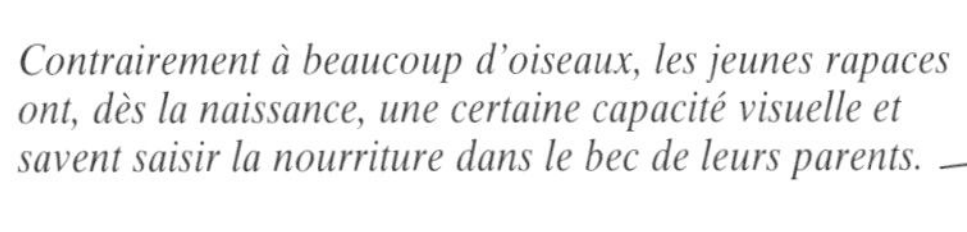

Contrairement à beaucoup d'oiseaux, les jeunes rapaces ont, dès la naissance, une certaine capacité visuelle et savent saisir la nourriture dans le bec de leurs parents.

Les poussins, bec ouvert, réclament la nourriture en pépiant et en levant la tête vers leurs parents.

1 **JEUNE FAUCON PÈLERIN ÂGÉ DE DEUX JOURS**
A cet âge, tous les jeunes rapaces ont besoin de la chaleur de leur mère pour maintenir leur température interne. Ils consomment de la viande dès le premier jour. Les parents déchiquettent les proies pour eux jusqu'à ce qu'ils soient en âge de pouvoir le faire. Chez certaines espèces, comme les vautours, les adultes régurgitent la nourriture. Les jeunes circaètes tirent du bec de leurs parents les serpents encore remuants dont ils se nourrissent.

2 **FAUCONS PÈLERINS ÂGÉS DE DOUZE JOURS**
Les jeunes faucons pèlerins ont maintenant acquis un épais duvet qui assure leur thermorégulation : ils peuvent maintenir leur température interne sans avoir besoin de se réchauffer auprès de leur mère. Celle-ci peut alors quitter le nid et chasser avec le mâle pour satisfaire l'appétit sans cesse croissant de ses rejetons. Ces derniers peuvent en effet consommer plus de la moitié de leur propre poids par jour.

Duvet encore insuffisant pour permettre au poussin de conserver sa température

3 FAUCON PÈLERIN SUBJUVÉNILE
Ce jeune faucon pèlerin presque en fin de croissance est qualifié de subjuvénile. Il sera juvénile après son envol et jusqu'à ce qu'il acquière son plumage d'adulte. Il devra alors apprendre très vite à chasser pour survivre. La moitié peut-être des jeunes rapaces meurent dans leur première année, souvent au cours de l'hiver sous les climats tempérés.

4 FAUCON PÈLERIN JUVÉNILE
La plupart des jeunes rapaces arborent un plumage d'une couleur différente de celle de leurs parents. Cela leur permet de chasser sur le territoire des couples adultes. En effet, ces derniers repousseraient d'autres adultes mais laissent les juvéniles tranquilles car ils ne constituent pas de véritables concurrents tant qu'ils ne sont pas aptes à se reproduire.

5 FAUCON PÈLERIN ADULTE
Certains rapaces, comme les crécerelles, peuvent se reproduire avant l'âge d'un an si des sites de nidification et des partenaires sont disponibles. D'autres, comme le faucon pèlerin, attendent trois ou quatre ans. Quant aux plus grandes espèces, elles ne nichent pas avant six ou sept ans. Les oiseaux de plus d'un an qui arborent encore leur plumage juvénile sont dits subadultes.

L'OREILLE FINE
Chez les rapaces nocturnes, l'ouverture du conduit auditif (p. 51), visible sur ce poussin de deux jours, est plus grande que chez les diurnes. En effet, ils ne peuvent compter pleinement sur leur vue pour chasser puisqu'ils le font de nuit, et recourent à leur ouïe très développée pour détecter leurs proies.

LE VOL DES RAPACES : À CHACUN SON STYLE

Un avion utilise un moteur pour se propulser ; ses ailes ne servent qu'à le maintenir en l'air. Les ailes d'un oiseau, elles, assurent ces deux fonctions à la fois ; la poussée est développée par leurs extrémités et l'essentiel de la portance par leurs parties internes. Les plumes du vol, les rémiges (p. 21), sont spécialement profilées pour améliorer le flux d'air le long des ailes. Elles s'écartent pour prendre un virage serré et s'ouvrent complètement lorsque l'animal freine pour se poser. Les différentes formes d'ailes observées chez les espèces de rapaces leur permettent des types de vols différents, adaptés à leurs terrains de chasse de prédilection. Quant à la queue, elle fait office de gouvernail et d'aérofrein ; en vol, elle est sans cesse en mouvement.

VOLER ENTRE LES ARBRES

Les éperviers et les autours (p. 40-41) chassent dans des zones boisées. Leur queue est plus longue, proportionnellement à leur corps, que celle de la plupart des autres rapaces, et leur permet des virages très serrés et des arrêts brusques. Leurs ailes assez courtes et arrondies assurent des décollages rapides et passent bien entre les arbres. Ces rapaces doivent pouvoir attraper leurs proies avant qu'elles n'atteignent des couverts trop denses.

LE ROI DES FAUCONS

Le faucon gerfaut, qui vit en Arctique, est le plus grand et peut-être le plus rapide de tous les faucons (p. 58-59). Comme tous les membres de sa famille, il présente de longues ailes pointues, assez peu adaptées au vol plané mais parfaites pour la vitesse. Leur étroitesse réduit les frottements avec l'air et les rend très manœuvrables. Ainsi équipés, ces oiseaux sont adaptés à la chasse dans de vastes espaces ouverts, bien plus que dans des zones boisées.

POSÉ SUR L'AIR
Les aigles sont faits pour le vol plané. N'étant pas capables d'avoir un vol battu très longtemps, ils recherchent les courants d'air chaud ascendants, ou pompes thermiques (p. 18), souvent à des centaines de mètres d'altitude, tandis qu'ils scrutent le sol à la recherche de proies. D'ailleurs, la plupart des grands aigles et des vautours vivent dans les régions montagneuses et côtières, où les courants ascendants sont nombreux, ou dans les pays chauds, où se forment beaucoup de pompes thermique.

En vol plané, les plumes de la queue s'étalent à l'horizontale pour augmenter la portance.

Les rémiges primaires externes doivent être à la fois très robustes et flexibles.

Les rémiges primaires internes portent la charge en prenant appui sur l'air.

Les plumes, appelées couvertures alaires, protègent l'os qui est près de la peau sur le bord d'attaque de l'aile.

L'alula est repliée à cet endroit lorsqu'elle n'est pas en fonction.

L'alula est relevée lorsque l'oiseau ralentit son vol pour se poser.

AIGLE RAVISSEUR AU DÉCOLLAGE
Au moment du décollage, le rapace dresse ses ailes et pousse sur ses pattes pour donner une impulsion vers le haut. Les ailes entament alors leur premier battement, un mouvement vers l'avant et vers le bas qui permet à l'oiseau à la fois de prendre appui sur l'air et de commencer sa progression : c'est l'essor. Ce sont les rémiges primaires (p. 20-21) qui effectuent l'essentiel de ce travail à chaque battement. Lorsque les ailes remontent, les rémiges primaires s'ouvrent pour limiter les frottements avec l'air et pour faciliter le mouvement, tandis que les rémiges secondaires maintiennent la portance.

PLANEUR INDOLENT
Les ailes des condors sont immenses, longues et larges à la fois, et ces oiseaux peuvent planer des heures sans effort sur les courants ascendants à la recherche de cadavres d'animaux. En contrepartie, ils ont du mal à décoller lorsqu'ils ont la panse remplie ou quand ils sont posés sur un terrain plat. Dans ce cas, ils doivent d'abord s'élancer en courant au sol afin de gagner la vitesse nécessaire pour prendre appui sur l'air. Dans les régions montagneuses où ils vivent, heureusement, il leur suffit souvent de se laisser tomber des corniches rocheuses les ailes ouvertes. Les ascendances font le reste.

Les grands oiseaux se servent aussi de leurs pattes pour freiner.

Ses ailes, de très grande surface (représentées en fait un peu trop petites sur cette illustration ancienne), permettent au condor de glisser sur les courants aériens, une technique moins fatigante que le vol battu.

FREINAGE ASSISTÉ
Cette buse d'Afrique est ici dans sa position d'atterrissage : le corps est presque vertical et non plus horizontal comme en plein vol. Les plumes des ailes et de la queue s'ouvrent en éventail pour augmenter le contact avec l'air, ce qui ralentit le mouvement vers l'avant et fait descendre l'oiseau. Au sommet du bord d'attaque de chaque aile, on peut voir l'alula, ou aile bâtarde, qui correspond au pouce dans le squelette. Tous les oiseaux en possèdent. Elle a pour fonction de réguler le flux d'air sur la face supérieure de l'aile à faible vitesse et d'empêcher l'animal de décrocher. Les volets d'atterrissage, sur les ailes des avions, effectuent le même travail, mais avec moins d'efficacité.

DIS-MOI COMMENT TU VOLES...

On trouve parmi les rapaces trois grands types d'ailes. Les faucons ont des ailes effilées et pointues adaptées au vol à grande vitesse. Celles des éperviers, des aigles forestiers et autres rapaces des milieux boisés sont courtes et arrondies. Elles permettent des décollages rapides et des accélérations subites, mais rendent le vol soutenu à grande vitesse trop fatigant. Enfin, les vautours et autres grands rapaces présentent de longues ailes arrondies grâce auxquelles ils peuvent planer très facilement dans l'air ascendant. En revanche, ils ont plus de peine à effectuer des battements que les éperviers et les faucons, aux ailes courtes, et sont donc moins rapides et moins agiles.

L'AMOUR TOURNE LES TÊTES
Certains rapaces ont des vols de parade nuptiale très spectaculaires. Ainsi, les couples de pygargues à tête blanche s'envolent très haut, et l'un des deux oiseaux se retourne pour saisir les serres de son partenaire. Ils se laissent alors tomber ensemble, en vrille, avant de se lâcher pour reprendre un vol normal. Certains observateurs suggèrent que ce comportement pourrait être un avertissement à leurs congénères pour qu'ils se tiennent à distance de leur territoire. Ainsi, le couple n'aurait pas à disputer sa nourriture à d'autres pygargues au moment du nourrissage des jeunes.

DÉCOLLAGE VERTICAL
Les caracaras sont proches parents des faucons mais n'ont pas leur vol rapide. Cela ne les empêche pas d'être plus agiles, tant dans les airs qu'au sol. Ils sont même capables de décoller à la verticale et de s'élever de plusieurs dizaines de centimètres, peut-être pour saisir au vol des insectes qu'ils dérangent lorsqu'ils grattent le bois en décomposition. Ils ont en effet un comportement de fourrageurs, passant le plus clair de leur temps au sol.

HAUTES ASPIRATIONS
Les pompes thermiques, ou ascendances, aident les rapaces à planer. Il s'agit de colonnes d'air chaud qui s'élève. Elles apparaissent lorsque le sol s'échauffe au cours de la journée et se forment seulement au-dessus des terres. Dans leur aspiration, les oiseaux prennent de l'altitude sans effort, ce qui leur permet d'économiser leur énergie. C'est pourquoi elles sont essentielles durant les migrations (p. 56-57). Les autres sites de formation de courants d'air ascendants sont les côtes et les barrières montagneuses.

Le corps et la tête sont presque en position d'atterrissage, mais les ailes battent à grande vitesse.

Les crécerelles ont un cou particulier, très flexible, qui leur permet, en vol stationnaire, de maintenir la tête absolument immobile tandis que le reste du corps est animé de mouvements.

Rémiges primaires en plein effort

VOL SUR PLACE
Les faucons du groupe des crécerelles se sont spécialisés dans le vol stationnaire. Quelques autres rapaces, comme les buses et le harfang des neiges, peuvent aussi le faire occasionnellement. Pour y parvenir, ils utilisent le vent, développant un mouvement en avant qui équilibre parfaitement celui du courant aérien, de sorte que les deux s'annulent, et l'oiseau reste immobile. Ce vol sur place leur permet de guetter des proies au-dessus de vastes zones ouvertes où il n'existe pas de perchoir.

Ailes étalées en phase ascendante

VOLTIGE DE PARADE
Pour séduire un éventuel partenaire, les rapaces effectuent souvent un superbe vol ondulé. Ils montent haut dans le ciel, replient les ailes et se laissent tomber comme une pierre. Soudain, ils ouvrent à nouveau les ailes pour interrompre la chute, remontent immédiatement et recommencent. La démonstration peut aussi indiquer aux congénères que l'oiseau revendique le territoire au-dessus duquel il vole et qu'il le défendra contre les intrus.

L'une des premières tentatives de conception d'une machine volante : un appareil dessiné par Léonard de Vinci.

LE RÊVE IMPOSSIBLE
L'homme a toujours rêvé de voler. Et pourtant, même s'il est capable de se fabriquer des ailes d'oiseau, ses muscles (p. 22-23) sont beaucoup trop faibles pour les mouvoir efficacement et s'élever dans les airs. Selon une estimation, il faudrait à l'homme des muscles pectoraux de deux mètres d'épaisseur afin de développer la puissance suffisante.

En vol stationnaire, la queue est étalée comme en phase de freinage.

Rémiges primaires basculées à l'oblique pour l'atterrissage

Tête projetée en avant en position d'atterrissage

Les rémiges secondaires, plus larges, développent encore assez de portance pour éviter le décrochement.

En phase d'approche, les pattes et les serres sont en extension, prêtes à la réception.

Les deux rectrices centrales (plumes caudales)

ATTERRISSAGE
Souvent, pour se poser, les oiseaux descendent sous le niveau du perchoir choisi pour remonter vers ce dernier dans la phase ultime du vol en se laissant glisser sous l'effet de la vitesse acquise. Lorsque la trajectoire reste supérieure au point de contact, ils doivent mettre en œuvre tous leurs systèmes de freinage : queue largement ouverte, pattes projetées en avant et doigts relevés. Les ailes sont écartées à l'oblique et la tête est projetée en avant pour voir le point d'atterrissage.

L'AILE ET LA PLUME : DEUX MERVEILLES DE LA NATURE

Les oiseaux sont les seuls animaux à posséder des plumes. Elles assurent deux fonctions essentielles : le vol et la conservation de la chaleur corporelle. Un oiseau en porte de différentes sortes. Les plus visibles sont les plumes de contour, qui donnent à l'animal sa silhouette globale. En dessous se trouvent les plumes de duvet, dont le rôle est d'emprisonner une couche d'air isolante réchauffée par la chaleur corporelle. Les plumes du vol, les plus grandes, se composent des rémiges sur les ailes, et des rectrices sur la queue. D'autres ont des fonctions très spécialisées : les filoplumes font office de cils et les vibrisses ont un rôle tactile. Toutes sont constituées de kératine, une protéine fibreuse que l'on retrouve dans les écailles des reptiles, les griffes et les poils des mammifères.

Buse (vue de derrière)

UN PLUMAGE ORDONNÉ

Les plumes présentent une hampe centrale portant une lame de chaque côté. Ces lames sont constituées de centaines de barbes reliées entre elles par de minuscules crochets, les barbules. Lorsqu'ils se toilettent, les oiseaux passent leur bec le long des barbes pour relier les barbules qui se sont séparées et imperméabiliser les plumes à l'aide d'une matière huileuse sécrétée par une glande située dans le bas du dos.

Plumes en croissance des ailes (à gauche) et de la queue (à droite) d'un autour gabar

Gorgées de sang durant leur croissance, les plumes développées subsistent à l'état de matière morte, comme les poils humains.

LA CROISSANCE DES PLUMES

Les plumes sortent de la peau de l'oiseau selon un alignement précis sur tout son corps. Durant leur période de croissance, elles sont vivantes et du sang circule à l'intérieur. A ce stade, elles sont enfermées dans un fourreau protecteur qui s'ouvre à mesure que la plume grandit. A terme, la plume se déploie et l'oiseau la met en place.

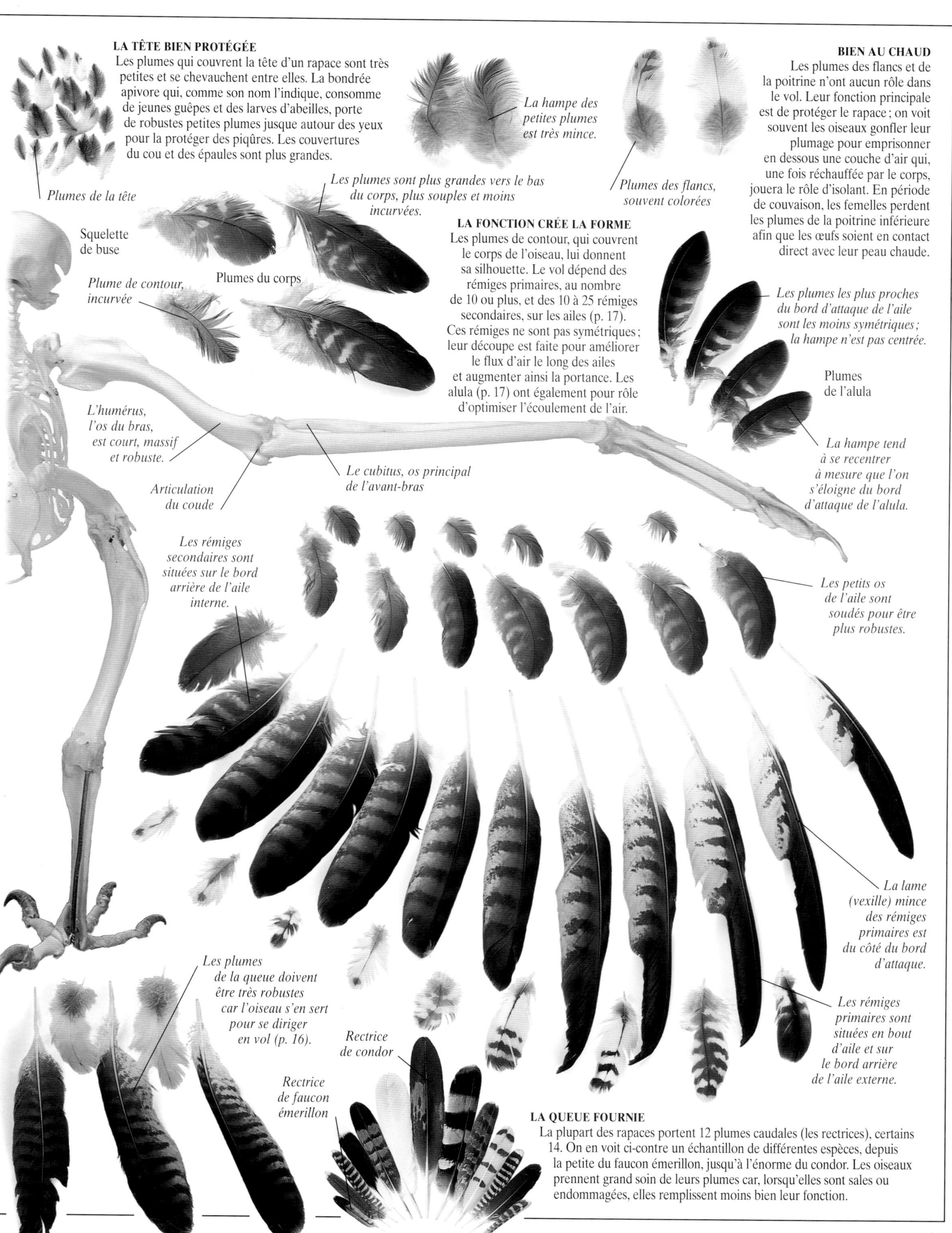

LA TÊTE BIEN PROTÉGÉE

Les plumes qui couvrent la tête d'un rapace sont très petites et se chevauchent entre elles. La bondrée apivore qui, comme son nom l'indique, consomme de jeunes guêpes et des larves d'abeilles, porte de robustes petites plumes jusque autour des yeux pour la protéger des piqûres. Les couvertures du cou et des épaules sont plus grandes.

BIEN AU CHAUD

Les plumes des flancs et de la poitrine n'ont aucun rôle dans le vol. Leur fonction principale est de protéger le rapace ; on voit souvent les oiseaux gonfler leur plumage pour emprisonner en dessous une couche d'air qui, une fois réchauffée par le corps, jouera le rôle d'isolant. En période de couvaison, les femelles perdent les plumes de la poitrine inférieure afin que les œufs soient en contact direct avec leur peau chaude.

LA FONCTION CRÉE LA FORME

Les plumes de contour, qui couvrent le corps de l'oiseau, lui donnent sa silhouette. Le vol dépend des rémiges primaires, au nombre de 10 ou plus, et des 10 à 25 rémiges secondaires, sur les ailes (p. 17). Ces rémiges ne sont pas symétriques ; leur découpe est faite pour améliorer le flux d'air le long des ailes et augmenter ainsi la portance. Les alula (p. 17) ont également pour rôle d'optimiser l'écoulement de l'air.

LA QUEUE FOURNIE

La plupart des rapaces portent 12 plumes caudales (les rectrices), certains 14. On en voit ci-contre un échantillon de différentes espèces, depuis la petite du faucon émerillon, jusqu'à l'énorme du condor. Les oiseaux prennent grand soin de leurs plumes car, lorsqu'elles sont sales ou endommagées, elles remplissent moins bien leur fonction.

EXPLORATION INTÉRIEURE

Sous la peau des rapaces se trouve une musculature très puissante. Celle-ci est supportée par le squelette, qui protège et contient les organes internes. Ces derniers permettent aux oiseaux de respirer, de se reproduire, de tirer leur énergie de la nourriture, etc. Pour leur apporter tout l'oxygène dont ils ont besoin durant le vol, les rapaces ont un système respiratoire très efficace. Leurs organes digestifs sont capables de dissoudre les poils, les plumes, les petits os et des insectes entiers. Les parties non digestibles des proies sont régurgitées sous la forme de « pelotes de réjection ». Le mode de vie des rapaces (le vol et la chasse) nécessite beaucoup d'énergie très vite dépensée. Aussi les rapaces peuvent-ils mourir de faim rapidement, si la nourriture vient à leur manquer. L'hiver, ils doivent aussi maintenir leur température interne.

Leurs yeux sont si gros que les rapaces ne peuvent pas bouger leurs globes oculaires dans leurs orbites ; la flexibilité du cou compense ce défaut.

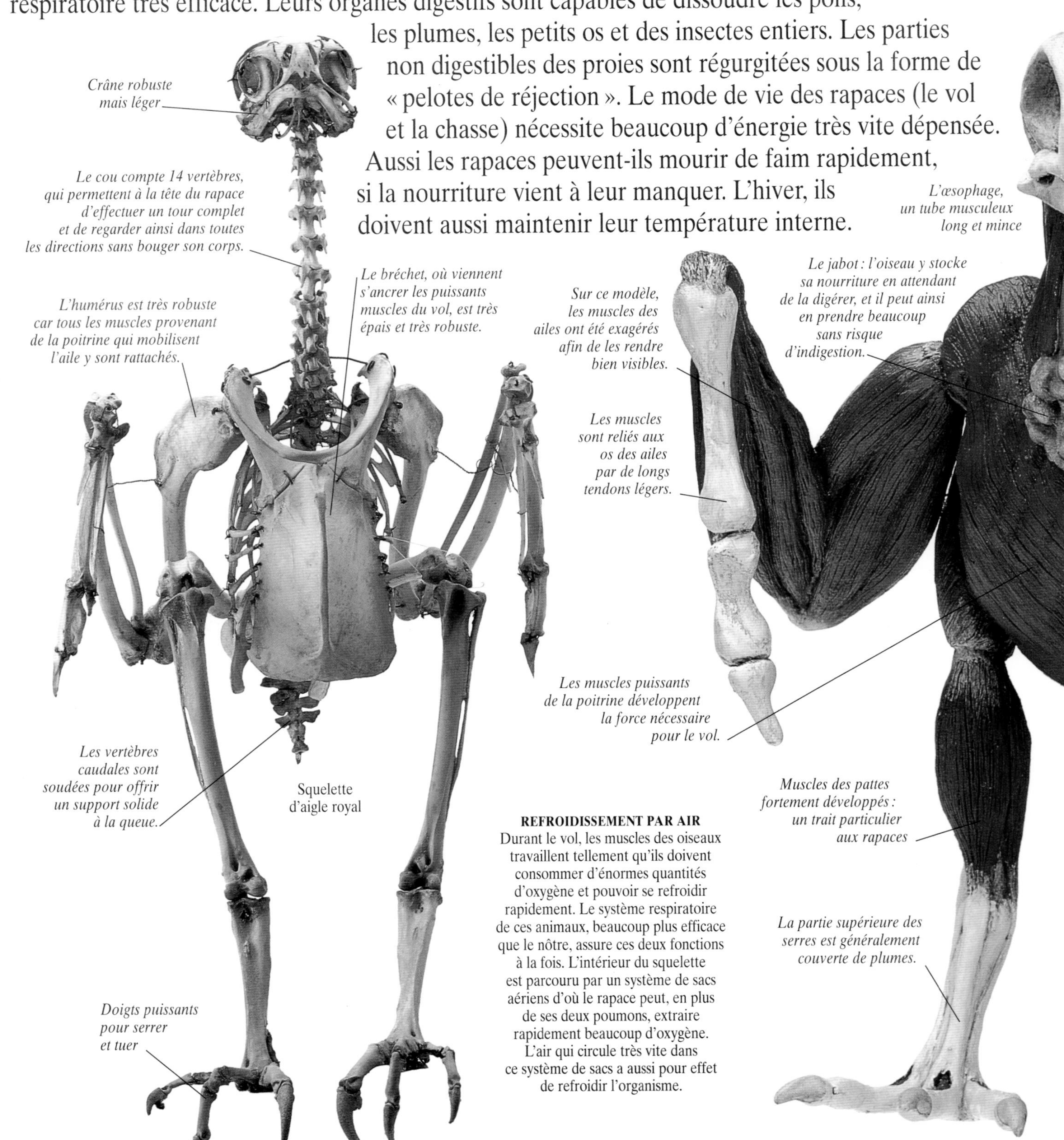

Squelette d'aigle royal

REFROIDISSEMENT PAR AIR

Durant le vol, les muscles des oiseaux travaillent tellement qu'ils doivent consommer d'énormes quantités d'oxygène et pouvoir se refroidir rapidement. Le système respiratoire de ces animaux, beaucoup plus efficace que le nôtre, assure ces deux fonctions à la fois. L'intérieur du squelette est parcouru par un système de sacs aériens d'où le rapace peut, en plus de ses deux poumons, extraire rapidement beaucoup d'oxygène. L'air qui circule très vite dans ce système de sacs a aussi pour effet de refroidir l'organisme.

Les os de l'épine dorsale sont soudés sur une grande partie ; de fait, la musculature du dos est réduite.

Le poids est concentré autour du centre de gravité.

La posture de ce modèle n'est pas tout à fait naturelle.

Musculature de l'aigle royal, vue de côté

À CHAQUE JOUR SA PELOTE

Tous les rapaces produisent des pelotes de matières non digérées, comme celle qu'on voit ci-contre, à raison d'une par jour environ. Ces pelotes sont très commodes pour les scientifiques qui, en analysant les restes qu'elles contiennent, peuvent déterminer le régime alimentaire des rapaces. Les plus révélatrices sont celles des chouettes et hiboux car leurs sucs digestifs attaquent moins les petits os que ceux des rapaces diurnes. Leurs pelotes contiennent donc des ossements mieux conservés et en plus grand nombre.

Les faucons et autres rapaces diurnes digèrent la plupart des petits os de leurs proies.

Pelote de réjection de faucon

DIGESTION SÉLECTIVE

Lorsque les rapaces mangent, la nourriture s'accumule d'abord dans le jabot, excepté chez les chouettes et les hiboux, qui ne disposent pas de cet organe. Elle passe ensuite dans l'estomac, ou gésier, où les parties non digestibles (plumes, poils, os, par exemple) sont agglomérées en une pelote qui est régurgitée le jour suivant. Tout le reste est digéré.

Modèle d'aigle royal écorché présentant la musculature (à gauche)

Aigle royal (à droite)

TOUT DANS LES MUSCLES

Les muscles représentent près de la moitié du poids d'un rapace. Les pectoraux, les fameux muscles du vol, sont les plus développés. Et, comme ils sont répartis pour la plupart sur la poitrine, les ailes elles-mêmes restent légères et l'essentiel de la masse de l'oiseau est concentrée au centre de son corps, ce qui le rend plus stable lorsqu'il est en l'air. Les muscles des pattes sont également très puissants, pour pouvoir saisir et serrer les proies.

LES SERRES : PRINCIPAUX OUTILS DU RAPACE

Pour les rapaces, les pattes jouent un rôle essentiel. D'après leur taille, leur forme et leur puissance, il est possible d'imaginer le type de proie qu'ils capturent. Ainsi les milans, qui sont des oiseaux assez gros (le milan royal approche la taille d'un petit aigle), ont de petites pattes qui ne leur permettent de saisir que des grenouilles, des coléoptères ou des lapereaux. Le faucon pèlerin, en revanche, est plus petit qu'un milan, mais présente des serres énormes grâce auxquelles il peut capturer des oiseaux presque aussi gros que lui. Celles des vautours sont très faibles car ils ne chassent pas eux-mêmes, tandis que l'aigle martial, en Afrique, peut attraper et tuer de jeunes autruches et de petites antilopes.

GRIFFES À LA MESURE
Les serres sont en fait les fortes griffes qui équipent chacun des doigts des pattes. Chez les grandes espèces d'aigles, elles peuvent être énormes.

PATTE D'AIGLE ROYAL
Les oiseaux se tiennent sur leurs pattes dans une position accroupie, de sorte que l'articulation que l'on pourrait croire être leur genou replié à l'envers, est en fait celle de la cheville. Les serres se referment sur les proies avec une force telle que les rapaces ont parfois des difficultés à les relâcher.

SERRES DE FAUCON SACRE
Les faucons attrapent souvent leur proie à grande vitesse, si bien que la violence du choc l'étourdit ou la tue. Ils peuvent aussi la frapper avec les serres fermées. Mais ils la tuent rarement en l'écrasant dans leurs serres, ils lui donnent plutôt des coups de bec.

AIGLE DE VERREAUX
L'aigle de Verreaux, en Afrique, possède des pattes énormes parce qu'il capture le daman des rochers, l'un des plus proches parents de… l'éléphant ! En fait, les damans ressemblent à des cochons d'Inde géants. Leur taille est donc sans commune mesure avec celle d'un éléphant, mais ils restent de grosses proies que seuls des rapaces puissants peuvent capturer.

PATTE D'URUBU NOIR
Les pattes des vautours du Nouveau Monde évoquent plus celles d'un gros gallinacé que celles d'un rapace. Leur force de serrage est très réduite mais elles sont de grande taille pour supporter le poids du corps toute la journée. Celles des vautours de l'Ancien Monde sont plus puissantes mais restent relativement faibles pour des rapaces de cette taille.

Les serres des vautours n'ont nul besoin d'être recourbées puisqu'elles servent à marcher et non à tuer.

La couverture de plumes souples isole les pattes du froid.

SERRES DE HARFANG DES NEIGES
Tous les rapaces nocturnes, à l'exception des espèces pêcheuses, ont des pattes emplumées, ce qui contribue à rendre leur vol et leur atterrissage silencieux. La plupart se tiennent généralement sur leur perchoir avec deux doigts en avant et deux autres en arrière, comme les perroquets, contrairement aux rapaces diurnes qui présentent en permanence trois doigts antérieurs et un postérieur. Certaines chouettes ont des serres très puissantes, comme le ninox puissant d'Australie, qui leur doit son nom.

Lorsqu'elles se relâchent, les pattes des rapaces nocturnes présentent trois doigts antérieurs et un postérieur.

SERRES D'AIGLE PÊCHEUR
le balbuzard et tous les aigles pêcheurs ont des pattes très écailleuses pour pouvoir saisir fermement les poissons glissants. La base de leurs pattes n'est pas couverte de plumes, ce qui leur permet d'éviter de s'envoler avec un plumage trempé.

Serres plus recourbées que chez les autres aigles

Ce pied est plus grand qu'une main d'homme.

PATTE D'ÉPERVIER
Les éperviers capturent de préférence de petits passereaux, tels que les moineaux. Toutes les espèces que l'on rencontre dans le monde ont les mêmes pattes, longues et effilées, avec des doigts minces et des serres en aiguille, parfaitement adaptées à ce type de proie. Ils les saisissent souvent en plein vol et viennent les surprendre jusque dans les mangeoires qu'on installe dans les jardins.

Articulation du genou

La cheville semble être à mi-hauteur du membre.

Bien qu'il semble faire partie de la jambe, le tarse est en fait un os du pied.

Les oiseaux perchent et marchent sur leurs doigts.

LA CHASSE : TECHNIQUES DE PRÉDATEURS

La plupart des rapaces vivant en milieu ouvert chassent en volant à haute altitude, tout en scrutant un vaste territoire. Les aigles saisissent leur proie au sol après avoir piqué sur elle rapidement. Les faucons plongent encore plus vite sur des oiseaux qu'ils attrapent souvent en plein vol. Les busards, au contraire, volent très bas et lentement, guettant leurs proies sous la végétation basse, comme le font souvent les rapaces nocturnes. Les espèces des milieux boisés ou urbains préfèrent la chasse à l'affût. Elles restent perchées à surveiller leur terrain de chasse et jaillissent du couvert pour fondre sur une proie passant à leur portée. Certains, comme les autours, rasent le sol, utilisant les haies et les arbres pour se dissimuler et frapper par surprise. Quant au secrétaire et au caracara, ils chassent en marchant, débusquant les proies sur lesquelles ils se jettent.

Aigle attaquant un serpent

À L'AFFÛT

Les buses, comme cette buse d'Afrique, sont d'excellents chasseurs à l'affût. Tranquillement perchées pour scruter leur territoire, elles attendent pour frapper que la proie qu'elles surveillent s'aventure assez loin de son refuge. Des rapaces qui chassent normalement en vol, comme les crécerelles, utilisent parfois cette méthode lorsqu'ils chassent pour leur propre compte et non pour nourrir les jeunes, ou bien lorsqu'ils sont fatigués, car l'affût nécessite une moindre dépense d'énergie.

La membrane nictitante (p. 30), se referme souvent au moment de l'attaque pour protéger l'œil.

Le perchoir doit être bien dissimulé ; les rapaces ont fréquemment des postes d'affût favoris.

Certains rapaces vont et viennent d'un perchoir à un autre lorsqu'ils chassent (p. 40).

Les serres se referment sur la proie avec une puissance telle que les rapaces éprouvent parfois des difficultés à relâcher l'étreinte.

À CHACUN SON RÉGIME

Certains rapaces s'attaquent à toutes les proies potentielles qu'ils peuvent rencontrer. C'est le cas de cette buse d'Afrique qui chasse surtout des petits animaux comme cet écureuil rayé, mais peut aussi venir à bout d'un lapin adulte aussi lourd qu'elle. D'autres rapaces, comme le milan des marais, en Amérique, ne mangent qu'un type de proie particulier. De plus, au sein d'une espèce donnée, des individus développent une spécialité. Ainsi, certains faucons pèlerins se tiennent en embuscade, guettant des pigeons en migration.

La queue est ouverte pour freiner le mouvement.

PÊCHE EN PIQUÉ

Ce pygargue blagre et les autres rapaces pêcheurs (balbuzard, buses, chouettes, aigles) vivent à proximité de la mer, des lacs et des rivières pour y prendre le poisson dont ils se nourrissent. Ils se tiennent généralement sur un perchoir élevé (excepté le balbuzard, qui chasse en vol), scrutant la surface de l'eau où les poissons remontent pour se nourrir. Un piqué d'angle très fermé leur permet de projeter leur serres en avant dans l'eau pour saisir leur proie.

ŒIL DE PRÉDATEUR

Les grands aigles (à l'exception des espèces forestières, p. 42) ont besoin de vastes espaces ouverts pour chasser. Souvent, on les voit planer, guettant le moindre mouvement au sol, comme celui d'un lapin qui remue l'oreille ou qui se gratte. Ils piquent alors pour frapper la proie. Ils peuvent aussi chasser à l'affût.

ADEPTES DE LA VITESSE

Les grands faucons habitent surtout des milieux de plaine, de landes, de désert ou de toundra. Dans ces sites sans couvert, leurs proies peuvent les voir venir de loin. C'est pourquoi ils montent haut dans le ciel pour prendre le maximum de vitesse en piqué et augmenter leurs chances de frapper par surprise, et recommencent s'ils manquent leur coup.

CHASSE EN FAMILLE

La plupart des rapaces sont des prédateurs solitaires. Toutefois, les couples chassent parfois ensemble, et quelques espèces le font en bande. Ainsi, la buse de Harris chasse en groupes familiaux comptant jusqu'à six membres : l'un des oiseaux effraie la proie pour la forcer à s'enfuir tandis que les autres l'attendent pour frapper. Parfois, ils harcèlent la victime à tour de rôle afin de la fatiguer. Ainsi associés, ils peuvent s'attaquer à des proies trop importantes pour un seul oiseau, comme les gros lièvres américains, qui sont deux fois plus lourds qu'eux.

LES COMPORTEMENTS ALIMENTAIRES

Le régime alimentaire des rapaces peut être très diversifié ou très spécialisé. Pour bon nombre d'entre eux, les insectes représentent un réservoir de nourriture important : 12 espèces s'en nourrissent exclusivement, 44 essentiellement et 100 autres occasionnellement. Quelques rapaces consomment également des fruits, comme le vautour palmiste d'Afrique tropicale, qui trouve dans les noix du palmier à huile le plus gros de son régime. Du fait de la petitesse de leurs proies, les rapaces insectivores doivent se nourrir souvent, mais la plupart des grandes espèces carnivores se suffisent d'une ou deux victimes par jour, passant le reste du temps perchées à digérer leur repas. Les vautours, eux, doivent parfois rechercher longtemps leur nourriture. C'est pourquoi ils se gavent chaque fois qu'ils en ont l'occasion ; un individu de 5 kg peut engloutir presque 2 kg de chair en un repas. Ils s'assemblent en larges bandes autour d'une source de nourriture, comme un cadavre de buffle. Les milans en font autant dans les décharges d'ordures ménagères.

BRISEUR D'OS
Le gypaète barbu doit son qualificatif aux touffes de vibrisses noires qui prolongent son masque à la base du bec. Il se nourrit surtout d'os et de moelle. Les plus petits sont avalés entiers. Pour briser les plus gros, il les laisse tomber sur les rochers de 60 m ou plus d'altitude, quelquefois plus de vingt fois.

Ce caracara est en colère : la peau de sa face rougit.

LE JABOT DES CARACARAS
Tous les rapaces diurnes ont un jabot (p. 22), où est emmagasinée la nourriture qu'ils ingèrent pour être digérée plus tard. Tandis qu'ils mangent, cet organe, situé sur la poitrine, enfle. Chez la plupart des espèces, il est couvert de plumes, mais celui des caracaras est nu, ce qui leur donne un très curieux aspect lorsqu'il est plein.

Les rémiges primaires sont noires, le reste du plumage blanc.

Grâce à un repli de peau, l'urubu noir peut rétracter le cou dans ses plumes lorsqu'il a froid et le sortir lorsqu'il se nourrit pour éviter de tacher son plumage de sang.

Les petits vautours doivent s'arc-bouter sur leur robustes pattes pour déchirer les pièces de chair récalcitrantes.

ON INVITE UN COPAIN
On pense que lorsque les urubus noirs, comme ceux que l'on voit ici, trouvent un cadavre dont la peau est trop dure pour qu'ils parviennent à l'ouvrir, ils vont à la recherche d'un vautour pape, plus grand, et le guident vers la charogne. Ce dernier écorche l'animal mort et ils se repaissent ensemble.

Normalement, la peau au-dessus du bec est jaune. Lorsque le caracara est en colère, le sang y afflue et elle devient rouge.

Jabot plein ; voyez la différence avec le sujet au jabot vide, à gauche.

Charognards, les caracaras mangent des lapins morts et toutes sortes d'autres restes.

MAUVAIS PARTAGEUR

Certains rapaces, comme cet épervier de Cooper, d'Amérique du Nord, étendent leurs ailes par-dessus leur proie pour la dissimuler tandis qu'ils la dévorent. Bon nombre d'autres espèces, notamment de rapaces, peuvent en effet tenter de la lui voler. Ces oiseaux emportent généralement leur prise, lorsque son poids le permet, pour la consommer dans un endroit tranquille.

Ailes étalées pour cacher la nourriture

L'épervier de Cooper mange des petits mammifères et des oiseaux, ici une caille.

Pour briser les œufs d'autruche, le percnoptère préfère les cailloux arrondis.

SAISONS FASTES POUR SE NOURRIR

Chaque année, les pygargues à tête blanche de la côte pacifique d'Amérique du Nord se repaissent de saumons lorsque ces derniers remontent les rivières pour pondre et mourir (p. 37). D'autres espèces de rapaces bénéficient aussi de l'accroissement subit du nombre de leurs proies, tels les criquets ou les rongeurs. Ainsi, le harfang des neiges et la buse pattue, en Arctique, pondent plus d'œufs les années où les lemmings, leur nourriture favorite, se mettent à pulluler. L'élanion lettré, qui vit dans les terres arides de l'Australie intérieure, ne se reproduit que lorsque les pluies sont suffisantes et que sa proie de prédilection, le rat à poils longs, abonde. Il élève alors plusieurs couvées à la suite.

Les narines, chez les vautours de l'Ancien Monde comme celui-ci, forment deux conduits séparés par une paroi centrale. Ce n'est pas le cas chez les vautours du Nouveau Monde.

Les saumons du Pacifique meurent après avoir frayé, c'est-à-dire après avoir pondu leurs œufs. Les pygargues n'ont qu'à tirer leurs cadavres des eaux des rivières.

DES CERVEAUX D'OISEAUX EXTRAORDINAIRES

Plusieurs espèces de rapaces peuvent consommer des œufs lorsqu'ils en trouvent, mais le vautour percnoptère est le seul oiseau du monde à se servir d'un outil pour les briser. Pour casser un œuf d'autruche, il ramasse avec son bec de petites pierres qu'il jette sur la coquille jusqu'à ce qu'elle se brise. Les œufs de plus petite taille sont tout simplement ramassés et lâchés en l'air. Parmi les espèces au régime alimentaire spécialisé, d'autres présentent des comportements approchants, notamment les rapaces qui emportent des tortues en vol et les laissent tomber de haut pour briser leur carapace.

Les œufs d'autruche sont les plus gros du monde.

En Afrique du Sud, où les autruches sont éle ées à des fins commerciales dans des fermes spécialisées, les exploitants agricoles tirent sur les autours percnoptères ou les empoisonnent. De fait, plus aucun couple ne se reproduit dans ce pays.

ŒIL PERÇANT ET OREILLE FINE

Chasser d'autres animaux pour se nourrir est une façon très éprouvante d'assurer sa subsistance. Pour les aider dans cette tâche, les rapaces disposent d'une excellente vue, au moins deux à trois fois et jusqu'à huit fois plus perçante que la nôtre. Une expérience réalisée avec une buse augure a montré que l'animal parvenait à distinguer de petites sauterelles à 100 m de distance ; un homme ne peut les voir que jusqu'à 30 m. Les rapaces ont également une ouïe très fine, notamment les nocturnes et certains busards. Seuls quelques urubus utilisent leur odorat pour rechercher des proies.

GROS ŒIL
L'œil de la buse variable (crâne ci-dessus) peut être aussi gros que celui d'un homme adulte, pourtant 50 fois plus lourd qu'elle !

La buse rouilleuse possède un œil clair à l'iris sombre.

Son large gosier lui permet de vite avaler ses proies avant qu'un aigle ne lui les vole.

REGARD DUR
Les oiseaux comme cette buse rouilleuse présentent, au-dessus de l'œil, un bourrelet prononcé formant une arcade sourcilière. Celle-ci peut faire office de pare-soleil pendant la chasse ou bien protéger l'œil des blessures lorsque le prédateur frappe sa proie ou se heurte à un obstacle lors d'une poursuite.

GROS YEUX MAIS PETIT CERVEAU
Les yeux et le bec tiennent beaucoup de place dans le crâne d'un faucon pèlerin. Son cerveau, assez petit et incliné, est à l'arrière dans la boîte crânienne. Le conduit auditif est également très petit mais son rôle est important : l'oiseau utilise son ouïe pour localiser ses proies et communiquer avec ses partenaires.

La membrane nictitante protège et nettoie l'œil.

Conduit auditif, caché par les plumes sur l'animal vivant

« Dent taniale » pour briser le cou des proies

GROSSE TÊTE ET DENT DURE
Les faucons, comme ce faucon sacre, ont une grosse tête pour leur taille. Tous possèdent, sur les côtés du bec, une échancrure formant la « dent taniale », qu'ils utilisent pour tuer leurs proies. Certains milans présentent aussi cette adaptation mais ne s'en servent pas ; comme tous les autres rapaces, ils achèvent leurs victimes avec les serres.

Robuste bec crochu pour tuer les proies

L'aigle royal est aussi appelé aigle doré à cause des nuances qui marquent ses plumes derrière la tête.

Narine

PROTECTION OCULAIRE
L'œil opacifié de cet aigle de Verreaux n'est pas dû à une quelconque maladie. C'est seulement sa membrane nictitante, une sorte de troisième paupière, qui est abaissée. Il s'agit d'un solide tissu transparent qui se referme pour nettoyer la cornée sans empêcher de voir. Elle se rabat souvent au moment où le prédateur frappe sa proie, pour protéger l'œil d'une éventuelle blessure.

LA PRATIQUE DE LA LANGUE
Les rapaces, tout comme les chiens, halètent, le bec ouvert et la langue pendante, pour abaisser leur température interne, comme le fait ici cet aigle royal. Ils respirent alors par un orifice situé à mi-longueur de leur langue. Cette dernière les aide également pour avaler en faisant passer la nourriture du bec vers le gosier.

On sait peu de chose sur la gustation, le sens du goût, des rapaces.

L'aigle voit au moins deux fois plus loin que l'homme, et probablement plus encore.

DÉTECTION À LONGUE PORTÉE
Il est difficile de déterminer avec précision la limite maximale de l'acuité visuelle des aigles. Quoi qu'il en soit, il ne fait aucun doute qu'un aigle royal parvient à discerner un lapin à 1,6 km de distance, et probablement de beaucoup plus loin encore.

Boîte crânienne

Crâne d'aigle circaète

LA TÊTE QUI TOURNE
Les yeux des aigles sont si gros qu'ils ne peuvent les faire tourner dans leur orbite. Ils parviennent néanmoins à surveiller l'espace tout autour d'eux grâce à leur long cou flexible, qui donne une très grande mobilité à la tête.

VISION BINOCULAIRE

Contrairement à la plupart des autres oiseaux, les yeux des rapaces sont dirigés vers l'avant. De fait, leurs champs de vision se superposent et offrent à l'animal une vision binoculaire, ce qui lui permet de percevoir les reliefs et de bien juger les distances, une aptitude essentielle pour la chasse.

LA VOIX DE L'AFRIQUE

Le pygargue vocifère est un oiseau très bruyant qui accueille ses partenaires par des cris puissants, ce qui lui vaut son nom. Que ce soient les jeunes au nid qui réclament leur nourriture, les cris d'excitation poussés par les adultes lors de luttes territoriales ou les appels plus doux des parades nuptiales, d'une façon générale, les rapaces ont bien des occasions de donner de la voix.

SANS COUTEAU NI FOURCHETTE

Les vautours, comme ce vautour à dos blanc africain, ont une vue extraordinaire. C'est essentiel pour repérer des cadavres lorsqu'ils planent très haut dans le ciel. Ils ont aussi un cou et un bec puissants pour leur permettre de dilacérer les chairs. Les grosses espèces, comme le vautour ouricou, en Afrique, et le condor des Andes, peuvent déchirer le cuir des buffles morts ou d'une baleine rejetée sur la côte. Pour se nourrir sur un cadavre, les espèces plus petites doivent attendre l'arrivée des plus grandes car leur bec est moins puissant.

MESSAGES CODÉS

De nombreux rapaces sont dotés d'une crête de plumes sur la tête. Personne ne sait quel est son rôle exact, mais il se peut qu'elle ait pour fonction de signaler l'humeur d'un individu à ses congénères. Dressée, elle traduit probablement la colère. Sa longueur varie selon les espèces ; celle de ce spizaète huppé est assez courte.

APPÉTISSANTS EFFLUVES

Le seul rapace doté d'un bon odorat est l'urubu à tête rouge. Dans les forêts vierges d'Amérique latine, il vole lentement au-dessus de la canopée, tentant de localiser des animaux morts à l'odeur. D'autres espèces de vautours attendent qu'il ait découvert un cadavre pour s'y poser à leur tour.

LE SQUELETTE : ROBUSTE ET LÉGER

L'oiseau le plus lourd capable de voler ne pèse que 16 kg. Bien sûr, les espèces les plus rapides et les plus agiles sont beaucoup plus légères, ce qui est indispensable pour le vol. C'est pourquoi nombre de gros os du squelette sont creux et remplis d'air. Ainsi, chez certains rapaces, l'ossature est moins lourde que le plumage ! Celle d'un épervier mâle d'Europe, par exemple, ne représente que 11 % de son poids total ! Mais le squelette doit surtout être assez robuste et assez souple pour supporter la puissante musculature nécessaire au vol et les tensions violentes qu'elle crée. L'ossature a aussi pour fonction de protéger efficacement les organes internes.

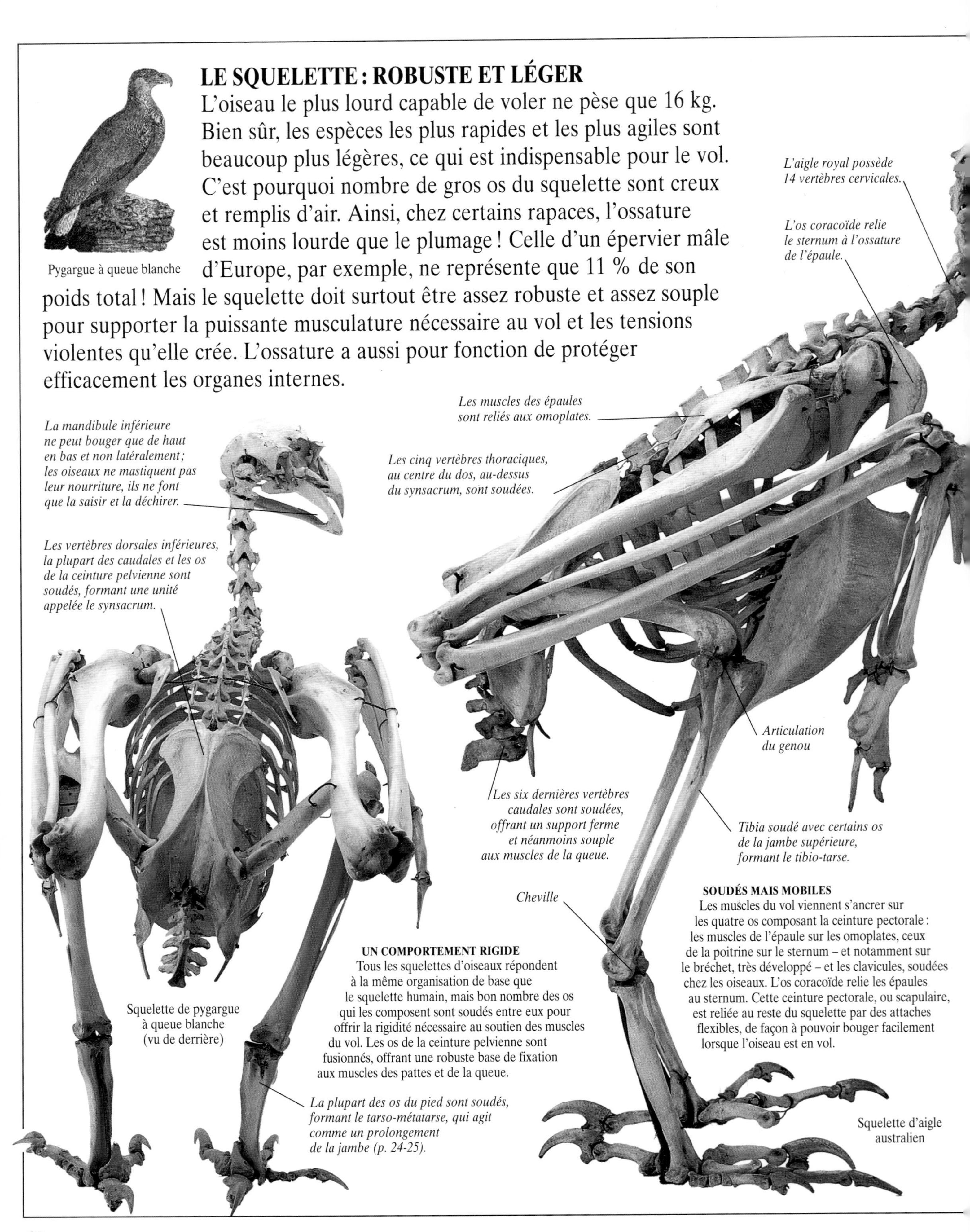

Pygargue à queue blanche

Squelette de pygargue à queue blanche (vu de derrière)

Squelette d'aigle australien

UN COMPORTEMENT RIGIDE

Tous les squelettes d'oiseaux répondent à la même organisation de base que le squelette humain, mais bon nombre des os qui les composent sont soudés entre eux pour offrir la rigidité nécessaire au soutien des muscles du vol. Les os de la ceinture pelvienne sont fusionnés, offrant une robuste base de fixation aux muscles des pattes et de la queue.

SOUDÉS MAIS MOBILES

Les muscles du vol viennent s'ancrer sur les quatre os composant la ceinture pectorale : les muscles de l'épaule sur les omoplates, ceux de la poitrine sur le sternum – et notamment sur le bréchet, très développé – et les clavicules, soudées chez les oiseaux. L'os coracoïde relie les épaules au sternum. Cette ceinture pectorale, ou scapulaire, est reliée au reste du squelette par des attaches flexibles, de façon à pouvoir bouger facilement lorsque l'oiseau est en vol.

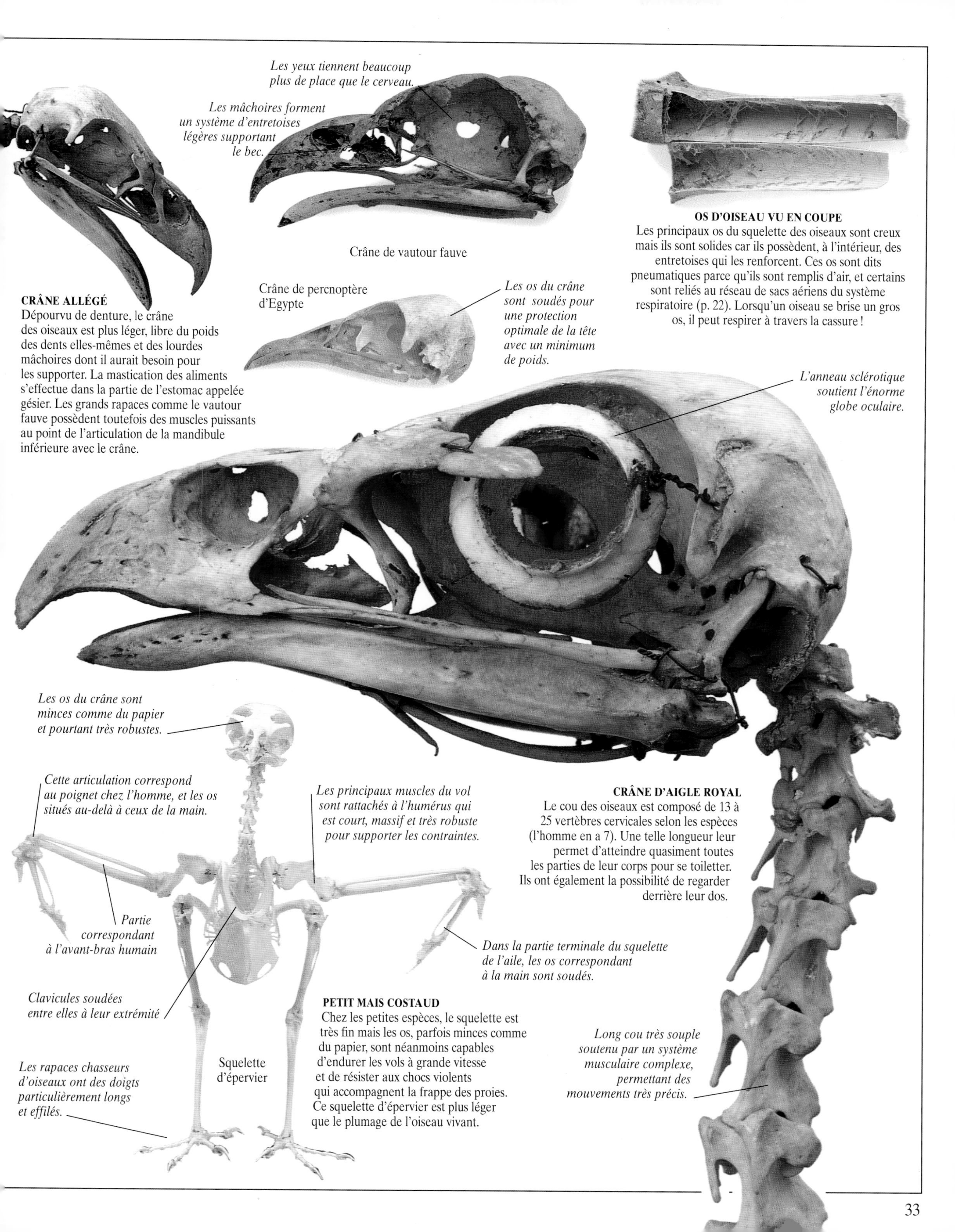

Crâne de vautour fauve

OS D'OISEAU VU EN COUPE
Les principaux os du squelette des oiseaux sont creux mais ils sont solides car ils possèdent, à l'intérieur, des entretoises qui les renforcent. Ces os sont dits pneumatiques parce qu'ils sont remplis d'air, et certains sont reliés au réseau de sacs aériens du système respiratoire (p. 22). Lorsqu'un oiseau se brise un gros os, il peut respirer à travers la cassure !

CRÂNE ALLÉGÉ
Dépourvu de denture, le crâne des oiseaux est plus léger, libre du poids des dents elles-mêmes et des lourdes mâchoires dont il aurait besoin pour les supporter. La mastication des aliments s'effectue dans la partie de l'estomac appelée gésier. Les grands rapaces comme le vautour fauve possèdent toutefois des muscles puissants au point de l'articulation de la mandibule inférieure avec le crâne.

Crâne de percnoptère d'Egypte

CRÂNE D'AIGLE ROYAL
Le cou des oiseaux est composé de 13 à 25 vertèbres cervicales selon les espèces (l'homme en a 7). Une telle longueur leur permet d'atteindre quasiment toutes les parties de leur corps pour se toiletter. Ils ont également la possibilité de regarder derrière leur dos.

Squelette d'épervier

PETIT MAIS COSTAUD
Chez les petites espèces, le squelette est très fin mais les os, parfois minces comme du papier, sont néanmoins capables d'endurer les vols à grande vitesse et de résister aux chocs violents qui accompagnent la frappe des proies. Ce squelette d'épervier est plus léger que le plumage de l'oiseau vivant.

Le cou est couvert d'une collerette de plumes qui le protège du froid.

LES VAUTOURS : CHAROGNARDS EFFICACES

Les vautours sont les éboueurs de la gent rapace. En mangeant les animaux morts avant qu'ils ne se putréfient, ils empêchent le développement des maladies. En Afrique, dans les seules plaines du Serengeti, ils consomment 25 000 tonnes de viande chaque année ; plus que tous les autres prédateurs réunis. Ce sont de bons planeurs, mais plus ils sont grands, plus ils peinent en vol battu (p. 16-19). La plupart vivent donc dans des régions chaudes ou montagneuses, où les ascendances sont nombreuses. Il en existe deux groupes distincts : les vautours du Nouveau Monde, en Amérique, et les vautours de l'Ancien Monde. Ils réunissent des espèces assez petites, de 2 à 3 kg seulement, et d'énormes oiseaux de plus de 10 kg. Les plus grands, les condors, atteignent 3 m d'envergure.

Envergure : 3 mètres

Les vautours du Nouveau Monde urinent sur leurs pattes, peut-être pour se refroidir.

LES CONDORS
Le condor des Andes (ci-dessus) plane dans le ciel de la cordillère du même nom, en Amérique du Sud. Certains vont jusqu'à la côte du Pacifique se nourrir des cadavres de baleines. Quoique moins menacée que le condor de Californie (p. 59), que l'on ne trouve plus qu'en captivité, l'espèce se fait de plus en plus rare.

NIDS ET VUE IMPRENABLES
De nombreux vautours se reproduisent dans les zones montagneuses, où les prédateurs ne peuvent les atteindre, comme au « rocher des Vautours », en Espagne (ci-dessus). Certaines espèces nichent individuellement, dans des grottes, d'autres en colonies.

Les juvéniles ont un plumage brun foncé ; celui des adultes est blanc.

Face jaune vif ; le cou est emplumé, contrairement à la plupart des vautours.

DE L'ANCIEN...
Les vautours de l'Ancien Monde ont une parenté avec les milans et les aigles, tandis que ceux du Nouveau Monde sont plus proches des cigognes que des autres rapaces. Le plus petit des vautours de l'Ancien Monde est le vautour percnoptère (ci-dessus). La race indienne présente un bec entièrement jaune. Il est jaune et noir dans les races européenne et africaine.

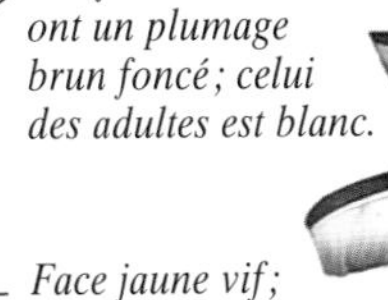

Ailes écartées pour assurer l'équilibre

... AU NOUVEAU MONDE
L'urubu à tête rouge est le plus petit des vautours du Nouveau Monde. C'est aussi celui qui possède la plus vaste aire de répartition. Son odorat est plus développé que celui de tous les autres rapaces (p. 30-31). Il s'en sert pour détecter les animaux morts dans les forêts d'Amérique du Sud. Dans les autres parties du monde, les vautours ne fréquentent pas les régions forestières, où la végétation cacherait leur nourriture.

L'urubu à tête rouge doit son nom à la coloration de sa face.

Comme un col roulé, les plumes du cou peuvent être descendues lorsque l'oiseau a chaud ou quand il se nourrit, et relevées lorsqu'il a froid.

Les pattes des vautours du Nouveau Monde ressemblent à celles des poules.

La queue est dressée quand l'oiseau effectue sa marche bondissante.

La tête basse peut avoir plusieurs significations, entre autres l'agressivité.

Le marabout est un échassier carnivore de la famille des cigognes.

REPAS DE FAMILLE
Les vautours se rassemblent par dizaines autour des cadavres pour les consommer. En Afrique, jusqu'à six espèces différentes peuvent s'y retrouver, accompagnées d'autres charognards comme les marabouts. Certains individus, qui ne se nourrissent pas vraiment, semblent être là pour des raisons sociales. Une grande bande peut mettre une carcasse d'antilope à nu en trente minutes, celle d'une vache en trois heures.

Crâne de vautour fauve

Mandibule supérieure soudée au crâne

Mandibule inférieure articulée comme celle de l'homme.

SURVEILLANCE AÉRIENNE
Les vautours ont une excellente vue diurne, évidemment spécialisée dans la détection des animaux morts, donc immobiles, contrairement aux autres rapaces, qui repèrent leurs proies au mouvement. Tandis qu'ils planent, ils s'observent aussi mutuellement ; si l'un d'entre eux descend, les autres le suivent. De proche en proche, les vautours peuvent ainsi venir de 300 km à la ronde pour se retrouver autour d'un même cadavre.

Des ailes immenses permettent aux vautours de planer sans effort.

Le vautour à dos blanc africain peut ingérer 1 kg de viande en deux minutes.

CHAROGNARDS MAIS PROPRES
Le vautour à dos blanc est le plus commun d'Afrique. Comme la plupart des espèces, sa tête et son cou sont nus car il les plonge dans les carcasses ; garnis de plumes, ils se saliraient vite. D'ailleurs, tous les vautours aiment la baignade et, après un repas, ils recherchent volontiers l'eau sur de grandes distances pour se nettoyer.

DES PATTES FAITES POUR LA MARCHE
Certains vautours aiment marcher ; l'urubu noir américain (ci-dessous) bondit littéralement sur ses pattes. Lorsqu'il recherche de petits animaux morts, tels que des crabes ou de petites tortues, il passe le plus clair de son temps au sol. Ses membres inférieurs ont évolué en conséquence et, à terre, il a une marche beaucoup plus assurée que celle des autres vautours.

L'urubu noir peut courir et sauter à une assez grande vitesse.

BALBUZARD ET PYGARGUES : LES RAPACES DIURNES PÊCHEURS

Les pygargues et le balbuzard se sont spécialisés dans la capture du poisson. D'ailleurs, les premiers sont aussi appelés aigles pêcheurs, un qualificatif qui leur convient parfaitement puisqu'on les trouve le plus souvent à proximité de l'eau. Mais ils chassent volontiers tout autre sorte de proies que le hasard peut mettre sur leur route. Des espèces comme le pygargue blagre ont des serres très incurvées et, sur la plante, des écailles piquantes pour saisir les poissons glissants. Ces oiseaux pratiquent communément l'affût, se perchant tranquillement et attendant, pour frapper, qu'une victime potentielle passe à portée. Unique représentant de son genre, le balbuzard est présent dans le monde entier et dépend quasi exclusivement du poisson. C'est le meilleur pêcheur de tous les rapaces ; il recherche ses proies en volant haut au-dessus de l'eau et pique lorsqu'il repère une proie près de la surface ; il lui arrive même de plonger littéralement pour l'attraper. Pour faciliter sa prise, il possède un doigt réversible.

UNIQUE EN SON GENRE
Le balbuzard possède de longues pattes pour aller chercher les poissons sous la surface de l'eau. Il les saisit fermement grâce à des coussinets épineux sur la plante de ses serres. Sa tête est étroite et ses yeux présentent une arcade sourcilière marquée. Assez bien adapté au milieu aquatique, il peut fermer ses narines pour empêcher l'eau d'y pénétrer, et son plumage est relativement imperméable.

Lors du plongeon final, le balbuzard rejette les ailes en arrière.

Le poisson est maintenu la tête vers l'avant pour réduire les frottements.

PÊCHE AU COUP
Planant et décrivant des cercles au-dessus de l'eau, le balbuzard recherche des proies. Lorsqu'il en aperçoit une, il pique, les serres projetées en avant, prêtes à se refermer. Il capture généralement le poisson près de la surface de l'eau, mais il peut aussi plonger, ne laissant dépasser que le bout des ailes. Après un instant de repos sur l'eau, il reprend les airs avec de puissants battements d'ailes horizontaux.

LE SYMBOLE D'UNE NATION
Le pygargue à tête blanche américain fut choisi en 1782 comme emblème des Etats-Unis. Benjamin Franklin, l'un des rédacteurs de la Déclaration d'indépendance, désapprouvait ce choix parce que cette espèce a pour habitude de chaparder la nourriture des autres, et il proposait de la remplacer par la dinde. Il ne fut pas écouté, heureusement pour le rapace car, en raison de la chasse et de la pollution, l'espèce a été menacée, et le pays a fait de gros efforts pour la protéger.

Dans l'autre patte, un rameau d'olivier symbolise la paix.

L'aigle tient une poignée de flèches pour symboliser la guerre

Le nid du balbuzard peut être énorme.

NID FAMILIAL
Un couple de balbuzards réutilise le même nid année après année et même d'une génération à l'autre. A chaque nouvelle saison de reproduction, les oiseaux y rajoutent des branchages. De fait, le nid peut devenir très gros. Toutes sortes de matériaux sont utilisés : os, bouts de ficelle, sacs en plastique, morceaux de carton, etc. Les sacs en plastique sont dangereux car les jeunes peuvent s'y empêtrer et mourir. La plupart des balbuzards nichent dans les arbres, mais certains également au sol.

Tête et parties inférieures entièrement blanches

RÉGIME VARIÉ
Le pygargue blagre vit le long des côtes indiennes, dans le Sud-Est asiatique et en Australie. Loin de consommer uniquement des poissons, il chasse aussi les lapins, les chauves-souris frugivores, les oiseaux aquatiques et même de dangereux serpents marins. Il est bien connu pour son cri rauque et puissant.

UNE ESPÈCE TRÈS MENACÉE

Chassé et persécuté par l'homme durant des siècles, le pygargue à queue blanche est l'un des aigles les plus menacés. Le dernier nicheur français (en Corse) disparut en 1953. Peu à peu, l'homme a heureusement pris conscience de ses responsabilités en matière de protection de l'environnement et, durant les années 1960, des individus de l'espèce ont été réintroduits notamment sur les côtes d'Ecosse. De nos jours, l'oiseau est encore globalement rare, mais ses effectifs sont en augmentation.

Jusqu'à 2 000 pygargues peuvent se rassembler dans un secteur.

SAUMON À VOLONTÉ

En automne et en hiver, les saumons du Pacifique remontent les rivières pour y frayer. Ils pondent leurs œufs dans les eaux peu profondes, près de la source des cours d'eau, puis ils meurent. Les pygargues à tête blanche se rassemblent dans ces zones durant l'hiver et se repaissent des poissons morts ou mourants en grand nombre ; une manne inespérée et facile d'accès à une période de l'année où se nourrir est toujours plus difficile.

Le pygargue empereur a un bec énorme.

UN GÉANT CHEZ LES PÊCHEURS

Le pygargue empereur est le plus grand de tous les rapaces pêcheurs. On le reconnaît sans peine à son très gros bec. Il vit sur les côtes de Russie et de Chine et se nourrit principalement de saumons du Pacifique. Toutefois, il peut s'attaquer à de gros oiseaux et à des mammifères comme des lièvres ou de jeunes phoques. Comme tous les pygargues, il pond deux ou trois œufs par couvée et mène toujours plus d'un jeune à terme.

Arcade sourcilière

Comme tous les rapaces, les pygargues ont des ailes puissantes.

Le pygargue à queue blanche ingère les arêtes en même temps que la chair des poissons.

Le bec puissant déchire sans peine la peau coriace des poissons.

Pattes robustes à écailles rugueuses pour maintenir les proies glissantes

La queue vire progressivement au blanc avec la maturité.

Le saumon est la nourriture favorite de nombreux pygargues nordiques.

MILANS ET BUSARDS : UNE ÉLÉGANCE AÉRIENNE

Milan à queue fourchue en vol

Les 33 espèces de milans vivant dans le monde diffèrent beaucoup par leur taille et leurs techniques de chasse. Le plus gros est le milan royal européen, avec un poids pouvant dépasser 1,2 kg. À l'autre extrême, le milan à collier, en Amérique du Sud, atteint à peine 100 gr environ. Certains sont volontiers charognards, d'autres recherchent des proies assez volumineuses ou encore des poissons. Les busards, dont on compte 13 espèces distinctes, se caractérisent par une grande envergure et un corps léger, ce qui leur permet de voler très lentement à la recherche des proies. Certains présentent une sorte de disque facial rappelant celui des chouettes.

Le mâle passe une proie à la femelle.

RÉGIME ACROBATIQUE
En période de nidification, lorsque le busard mâle rapporte de la nourriture, il appelle sa femelle qui décolle du nid pour le rejoindre dans les airs. Le mâle la survole et laisse tomber sa proie qu'elle rattrape au vol et rapporte au nid.

Le serpentaire gymnogène a une crête très développée.

La couleur des plumes du dos permet de déterminer l'âge de l'oiseau.

Milan noir

RÉGIME OPPORTUNISTE
Très répandu dans le monde, le milan noir a un régime alimentaire varié, composé de rongeurs, de poissons, de batraciens, d'insectes et de charognes. Comme beaucoup de milans, il vole souvent en bande, mais les couples nichent individuellement. Les milans capturent et consomment souvent des proies en vol.

DE PLAIN-PIED OU À L'ÉTAGE
La plupart des busards – ici des busards Saint-Martin – nichent au sol. La femelle bâtit un nid de branchettes, de paille et d'herbe sèche. Elle pond généralement trois ou quatre œufs, mais les nichées peuvent atteindre dix jeunes lorsque la nourriture est abondante. Les milans, eux, construisent de petits nids dans les arbres.

PARENTS PROCHES
Trois autres espèces de rapaces sont étroitement apparentées aux busards. Avec ses ailes immenses et son petit corps, le serpentaire gymnogène africain leur ressemble beaucoup. Celui-ci possède une cheville à double articulation, qui lui permet d'introduire ses serres dans les anfractuosités des falaises et les trous des arbres pour y capturer des oisillons dont il se nourrit. Il vole lentement dans les forêts à la recherche de cavités à explorer. Son cousin, le serpentaire rayé, est localisé à Madagascar et dans les îles environnantes de l'océan Indien. Enfin, le serpentaire ardoisé se rencontre dans les jungles d'Amérique du Sud.

COULEURS DU TERROIR
Selon les régions du monde où il vit, le milan noir présente différentes sous-espèces aux colorations distinctes. On voit ici la sous-espèce *parasitus*, qui possède notamment un bec jaune.

Les milans peuvent virevolter et effectuer d'étonnants changements de direction presque sur place.

Le milan royal présente un iris clair.

REGAIN
Dans les pays développés, bon nombre de rapaces, qui avaient connu un déclin inquiétant durant les années 60, commencent à reconstituer leurs populations grâce aux mesures de protection qui les concernent. C'est le cas en France, où certaines espèces ont retrouvé des effectifs corrects. Ainsi, le faucon pèlerin et le vautour fauve doivent beaucoup aux efforts d'organismes comme le Fonds d'intervention pour les rapaces (FIR) et la Ligue pour la protection des oiseaux (LPO).

LE VOL DU BUSARD
Les busards chassent en volant à basse altitude au-dessus des marais, des champs, des friches et des landes. Leur faible poids créant peu de contraintes sur les ailes, ils peuvent se déplacer lentement en avant et en arrière. Si près du sol, ils détectent les bruits émis par les proies sous la végétation basse.

Les oiseaux viennent exploiter en bandes les rebuts dans les décharges.

Des pattes et des doigts longs et fins s'insinuent parfaitement dans les fissures et les trous pour y rechercher de quoi manger.

Le plumage du milan royal présente une coloration brun-rouge assez vive.

FAIRE LES POUBELLES
Les milans ne s'effraient guère de la présence de l'homme. Ils fréquentent volontiers les villes et les décharges d'ordures où ils sont sûrs de trouver des restes. Ils courent toutefois le risque de consommer des aliments pollués par des produits toxiques. Certains milans africains poussent loin l'audace : ils savent voler les sandwiches dans les mains des gens lorsqu'ils pique-niquent.

Une longue queue facilite le vol à faible vitesse.

Les milans sont faciles à identifier grâce à leur queue fourchue.

Buse de Swainson, en Amérique du Nord, perchée sur un poteau télégraphique.

BUSES ET ÉPERVIERS : D'UN EXTRÊME À L'AUTRE

Les éperviers sont essentiellement forestiers. Vifs et très agiles avec leurs ailes courtes et arrondies, ils naviguent très vite entre les arbres, effectuant des virages serrés à la poursuite de leurs proies. Leur longue queue contribue à la rapidité des manœuvres, faisant office de gouvernail et de puissant aérofrein permettant des arrêts brusques. Très adaptables, les buses vivent et chassent au contraire dans des milieux variés, appréciant notamment les paysages mixtes de bois et de cultures. Avec leurs ailes plus longues et plus larges, elles sont moins agiles que les éperviers mais planent très bien, scrutant le sol à la recherche de proies qu'elles attaquent par surprise en piqué.

SOLIDE CONSTITUTION
Il existe quelque vingt espèces de buses dans le monde, parmi lesquelles la buse féroce (à gauche). Toutes ont la même robuste silhouette et des pattes massives et puissantes pour attraper les petits mammifères. Pour la plupart d'entre elles, lapins et rongeurs forment l'essentiel de leurs proies.

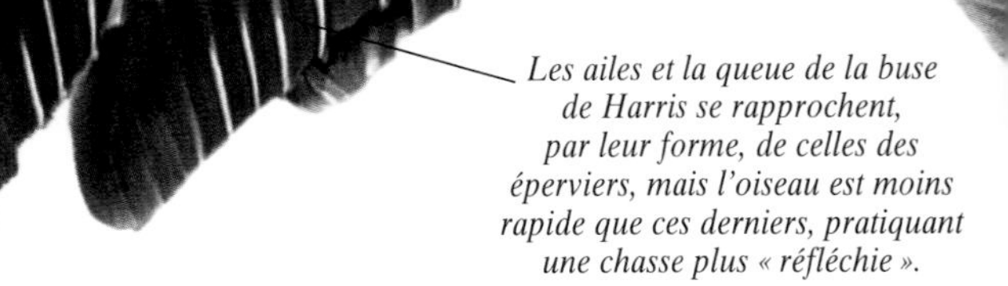

Les ailes et la queue de la buse de Harris se rapprochent, par leur forme, de celles des éperviers, mais l'oiseau est moins rapide que ces derniers, pratiquant une chasse plus « réfléchie ».

DES RAPACES AU SERVICE DE L'HOMME
En Europe, au Moyen Age, l'autour des palombes, cousin des éperviers, était très prisé en fauconnerie car il savait, mieux que la plupart des autres rapaces, rapporter du gibier en quantité pour garnir les broches des cuisiniers. Mais les buses et les éperviers étaient également très utilisés. Plus lentes et plus faciles à dresser, les buses étaient notamment appréciées par les fauconniers néophytes.

Epervier plumant un merle avant de le manger.

ATTENTION À VOS PLUMES !
Comme de nombreux rapaces, les éperviers débarrassent leurs proies de leurs plumes avant de les dévorer. Ils ont souvent, à proximité de leur nid, des postes de plumage où ils viennent régulièrement effectuer l'opération. Ces oiseaux se scindent en deux groupes : celui des autours, de grande taille et dont on compte une vingtaine d'espèces dans le monde, et celui des éperviers vrais, au nombre de 25 environ. Ils chassent souvent en passant de perchoir en perchoir, cachés dans les arbres et scrutant le sol. Les autours recherchent aussi bien des proies à poils qu'à plumes, tandis que les éperviers s'attaquent surtout aux petits oiseaux.

Les rémiges primaires de la buse de Harris sont relativement courtes.

Les éperviers attrapent des proies relativement grosses. Cette femelle d'épervier d'Europe a tué une femelle de merle noir, mais elle peut venir à bout de pigeons plus lourds qu'elle.

En vol de chasse, les éperviers utilisent souvent le couvert des haies et des arbres, ne se découvrant qu'au dernier moment.

UNE BUSE TRÈS VARIABLE
Les populations de rapaces fluctuent en fonction de celles de leurs proies. En France, le nombre de buses variables a été au plus bas dans les années 60 avant que l'espèce ne soit protégée et ne reconstitue ses effectifs.

BUSE OU ÉPERVIER ?
Assez originale, la buse de Harris se situe un peu à mi-chemin entre la buse et l'épervier. *Parabuteo*, le nom scientifique du genre auquel elle appartient et dont elle est seule représentante, signifie « presque une buse ». Car si elle présente la silhouette caractéristique des éperviers, avec une longue queue et de courtes ailes arrondies, son comportement nonchalant évoque plutôt celui des buses. Inhabituellement grégaire pour un rapace de ce type, elle chasse en bande (p. 27) et adopte un mode coopératif de l'élevage des jeunes : les parents sont secondés par d'autres sujets du groupe.

L'alula (p. 17) intervient pour ralentir le vol et réguler le mouvement à faible vitesse.

Coloration brune caractéristique du dessus des ailes

Les grandes espèces ont des pattes et des serres puissantes. Celles des éperviers, plus petits et qui chassent des oiseaux de petite taille, sont plus fines et moins robustes, avec des doigts très longs.

LES AIGLES : RAPACES SUPRÊMES

L'aigle royal de la toundra arctique, l'aigle martial des plaines africaines et l'aigle australien ont en commun une envergure qui peut dépasser 2,4 m. Ce sont les plus grands, et ils vivent dans des milieux ouverts. Ils représentent le groupe des aigles vrais. Les aigles des milieux forestiers, eux, ont des ailes plus courtes, plus arrondies et une queue plus longue. Les plus puissants, l'aigle harpie d'Amérique du Sud (p. 59), l'aigle des singes (p. 56), en Indonésie, et le spizaète blanchard, en Afrique, sont sans doute aussi les plus puissants de tous les rapaces. Enfin, les circaètes sont spécialisés dans la capture des serpents : à la place des plumes, leurs pattes portent d'épaisses écailles pour les protéger des morsures des reptiles.

LÉGENDES TENACES
Les aigles se nourrissent, à l'occasion, des cadavres qu'ils trouvent ; ils ont donc été vus sur des proies beaucoup plus grosses que ce qu'ils peuvent tuer en réalité. C'est ce qui a fait penser que ces animaux peuvent emporter des veaux, des moutons et même de jeunes humains. En fait, il n'existe aucun cas d'enfant ayant été tué par ces oiseaux.

AIGLE DE LA JUNGLE
La plupart des aigles de forêt, comme l'aigle fascié (à droite), ressemblent, par leur structure, aux éperviers. Comme ces derniers, ils sont capables de virages rapides et serrés, donc de chasser dans des boisements denses. Malheureusement, certains sont de plus en plus rares à cause de la destruction des forêts tropicales où ils vivent.

Plumage rayé sur la poitrine faisant office de camouflage quand l'oiseau se tient dans les arbres.

PIRATE DU CIEL
L'aigle ravisseur est l'une des espèces les mieux représentées. Comme beaucoup d'autres aigles, il se fait volontiers charognard à l'occasion, consommant des cadavres d'animaux ou des ordures laissées par l'homme. Il se comporte souvent aussi en pirate, chassant les autres rapaces qui viennent de capturer une proie pour la leur voler.

En vol plané, l'aigle ravisseur ouvre largement la queue.

SYMBOLE IMPÉRIAL
Dans le monde entier, l'aigle est considéré comme un seigneur parmi les oiseaux et, au cours de l'histoire, a souvent été choisi comme emblème par les grands bâtisseurs d'empires. La Rome antique, la Russie des tsars, l'Autriche des Habsbourg et la France napoléonienne, entre autres, le faisaient figurer sur leurs armoiries. Les légions romaines en campagne en transportaient toujours une effigie comme symbole de ralliement, sa perte était considérée comme le pire des désastres.

Les aigles choisissent souvent une branche morte dominante comme poste de guet.

L'aigle écarte les ailes pour apparaître plus gros et plus impressionnant.

Le phacochère pourrait sérieusement blesser l'aigle de ses défenses.

ALTERCATION
L'aigle martial (ci-dessus), le plus gros rapace d'Afrique, n'hésite pas à se mesurer à un phacochère – non pas qu'il espère faire une proie de ce cousin des sangliers, mais il n'entend pas reculer devant lui s'il s'estime dérangé. Ce rapace immense possède des pattes assez puissantes pour tuer un chacal et de petites antilopes mais, en général, il choisit plutôt de gros oiseaux tels que les outardes et les pintades. Il peut chasser à l'affût mais préfère planer et fondre sur sa proie depuis une grande hauteur.

Membrane nictitante qui protège et nettoie l'œil.

HÉRITAGE
Les rapaces reviennent nicher dans le même nid chaque année. Et lorsqu'un couple ne se reproduit plus, un nouveau couple reprend le nid. Chez toutes les espèces, en effet, les bons sites de nidification tendent à être réutilisés. Ainsi, entre le XVIe et le XIXe siècle, les fauconniers britanniques ont recensé 49 falaises où nichaient les faucons pèlerins ; 42 sont encore occupées aujourd'hui.

Ce bateleur des savanes juvénile mettra plusieurs années à acquérir son plumage adulte.

Les jeunes au nid – ici des aigles royaux – pépient pour inciter leur mère à les nourrir.

AS DE LA VOLTIGE
D'abord brun terne lorsqu'il est juvénile (ci-dessus), le bateleur des savanes acquiert progressivement le plumage coloré des adultes (à gauche), la maturité n'intervenant pas avant l'âge de sept ans. L'espèce est étroitement apparentée aux circaètes, les aigles chasseurs de serpents. Elle doit son nom à son vol très acrobatique.

ENTRÉ EN RELIGION
Depuis les peuples d'Amérique du Nord jusqu'à ceux de l'Inde, en passant par les Aztèques et bien d'autres, l'aigle joue ou a joué un rôle au sein de nombreuses religions. Dans certains cultes, il représente le Soleil ou bien un dieu du Ciel. Pour les chrétiens, il est devenu l'animal symbole de Jean l'Evangéliste (ci-dessus), l'un des apôtres du Christ.

A mi-longueur, la langue présente une sorte de fourche qui permet à l'oiseau de diriger les aliments vers la gorge.

Plumes de couverture alaire plus petites au niveau de l'épaule

Les couvertures alaires (p. 21) dessinent la silhouette de l'aile.

En s'attaquant d'abord aux animaux faibles et malades, les rapaces contribuent à la bonne santé de la population de leurs proies, évitant la propagation d'épidémies en leur sein.

Silhouette massive caractéristique

Ses pattes puissantes peuvent tuer des lièvres.

DES MANGEURS RAISONNABLES
Ce mâle d'aigle royal pèse environ 4 kg. Le lapin de 2 kg qu'il a capturé va le rassasier pour deux jours. La plupart des aigles vivent en fait de proies beaucoup plus petites qu'eux, la plus belle exception étant le spizaète blanchard africain que l'on a déjà vu tuer des antilopes atteignant 20 kg. Seules quelques espèces peuvent s'attaquer à des proies de grande taille.

POURQUOI CE NOM ?
On aurait donné ce nom à l'oiseau parce que les longues plumes de sa crête rappellent les secrétaires de bureau de jadis qui portaient leur plume sur l'oreille (ci-dessus). Selon une autre hypothèse, il viendrait de l'arabe « *saqret-tair* », qui signifie « oiseau chasseur ».

LE SECRÉTAIRE DES SERPENTS

On a décrit cet animal comme un « aigle marcheur à longues pattes ». Ses longs membres inférieurs le font en effet ressembler aux échassiers. Mais il porte un bec crochu qui ne trompe pas et tue avec ses serres, comme tous les rapaces. Le secrétaire des serpents se rencontre en Afrique, au sud du Sahara, dans des régions offrant les prairies de savane, les bordures de désert ou les terres de culture qu'il fréquente. Pour construire son nid, il recherche des arbres à sommet plat. Sa taille atteint 1,2 m, son poids, 2 kg à 4 kg, et son envergure 2 m ou plus. Avec des dimensions si encombrantes, l'oiseau ne peut vivre dans les zones boisées, où il aurait peine à décoller et à naviguer ; il évite également les herbes hautes et denses. Pour chasser, il ne vole pas mais déloge ses proies en arpentant les étendues herbeuses, puis les tue en les piétinant. Mangeur de serpents renommé, il consomme aussi toutes sortes d'insectes, d'oiseaux et d'autres petits animaux.

JEUNE SECRÉTAIRE
Les secrétaires nouveau-nés ont une très grosse tête. Dans leurs premiers jours de vie, leurs pattes grandissent si vite que les écailles qui les recouvrent ne peuvent s'y maintenir ; elle éclatent et tombent sans cesse, poussées par les nouvelles qui se développent en dessous. Les jeunes ne parviennent à se tenir debout que lorsqu'ils ont presque atteint leur plein développement, ce qui signifie qu'ils ne doivent pas tomber du nid avant de pouvoir voler, ou au moins planer. L'espèce n'est pas particulièrement menacée, bien que certains la chassent encore sans raison. En débarrassant les champs des serpents et des rongeurs, elle est l'alliée des cultivateurs

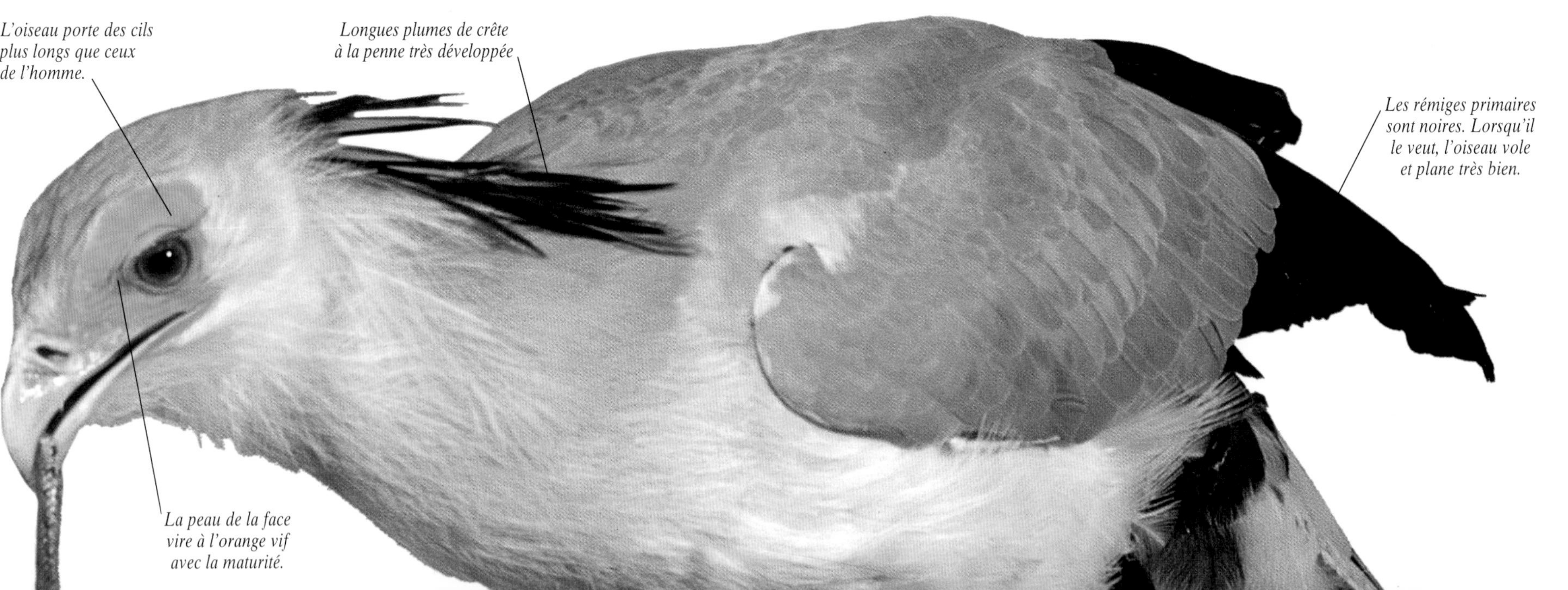

L'oiseau porte des cils plus longs que ceux de l'homme.

Longues plumes de crête à la penne très développée

Les rémiges primaires sont noires. Lorsqu'il le veut, l'oiseau vole et plane très bien.

La peau de la face vire à l'orange vif avec la maturité.

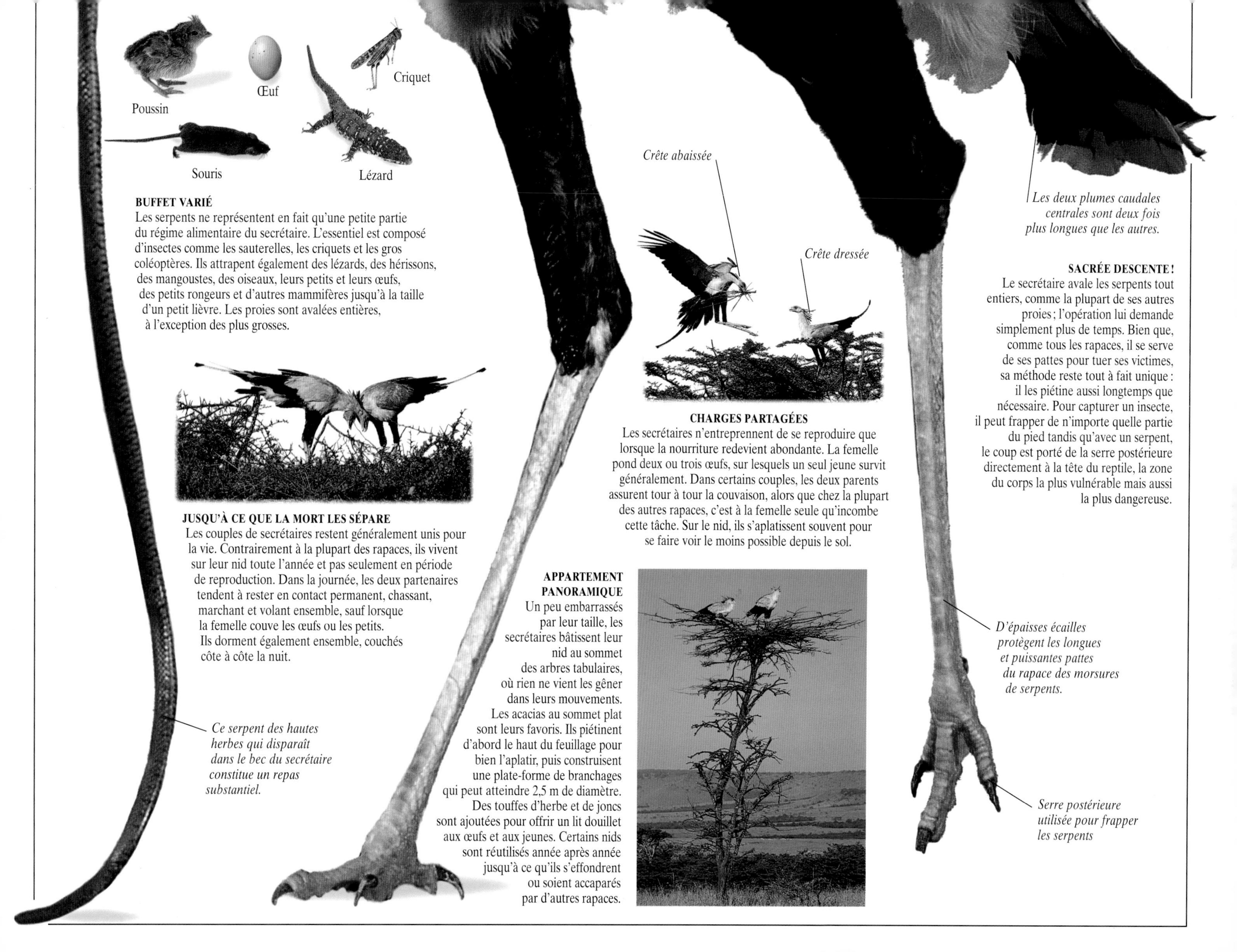

Poussin

Œuf

Criquet

Souris

Lézard

BUFFET VARIÉ
Les serpents ne représentent en fait qu'une petite partie du régime alimentaire du secrétaire. L'essentiel est composé d'insectes comme les sauterelles, les criquets et les gros coléoptères. Ils attrapent également des lézards, des hérissons, des mangoustes, des oiseaux, leurs petits et leurs œufs, des petits rongeurs et d'autres mammifères jusqu'à la taille d'un petit lièvre. Les proies sont avalées entières, à l'exception des plus grosses.

JUSQU'À CE QUE LA MORT LES SÉPARE
Les couples de secrétaires restent généralement unis pour la vie. Contrairement à la plupart des rapaces, ils vivent sur leur nid toute l'année et pas seulement en période de reproduction. Dans la journée, les deux partenaires tendent à rester en contact permanent, chassant, marchant et volant ensemble, sauf lorsque la femelle couve les œufs ou les petits. Ils dorment également ensemble, couchés côte à côte la nuit.

Ce serpent des hautes herbes qui disparaît dans le bec du secrétaire constitue un repas substantiel.

Crête abaissée

Crête dressée

CHARGES PARTAGÉES
Les secrétaires n'entreprennent de se reproduire que lorsque la nourriture redevient abondante. La femelle pond deux ou trois œufs, sur lesquels un seul jeune survit généralement. Dans certains couples, les deux parents assurent tour à tour la couvaison, alors que chez la plupart des autres rapaces, c'est à la femelle seule qu'incombe cette tâche. Sur le nid, ils s'aplatissent souvent pour se faire voir le moins possible depuis le sol.

APPARTEMENT PANORAMIQUE
Un peu embarrassés par leur taille, les secrétaires bâtissent leur nid au sommet des arbres tabulaires, où rien ne vient les gêner dans leurs mouvements. Les acacias au sommet plat sont leurs favoris. Ils piétinent d'abord le haut du feuillage pour bien l'aplatir, puis construisent une plate-forme de branchages qui peut atteindre 2,5 m de diamètre. Des touffes d'herbe et de joncs sont ajoutées pour offrir un lit douillet aux œufs et aux jeunes. Certains nids sont réutilisés année après année jusqu'à ce qu'ils s'effondrent ou soient accaparés par d'autres rapaces.

Les deux plumes caudales centrales sont deux fois plus longues que les autres.

SACRÉE DESCENTE !
Le secrétaire avale les serpents tout entiers, comme la plupart de ses autres proies ; l'opération lui demande simplement plus de temps. Bien que, comme tous les rapaces, il se serve de ses pattes pour tuer ses victimes, sa méthode reste tout à fait unique : il les piétine aussi longtemps que nécessaire. Pour capturer un insecte, il peut frapper de n'importe quelle partie du pied tandis qu'avec un serpent, le coup est porté de la serre postérieure directement à la tête du reptile, la zone du corps la plus vulnérable mais aussi la plus dangereuse.

D'épaisses écailles protègent les longues et puissantes pattes du rapace des morsures de serpents.

Serre postérieure utilisée pour frapper les serpents

À LA VITESSE DES FAUCONS

Les grands faucons – sacre, lanier, pèlerin et gerfaut – sont les plus rapides des rapaces ; en piqué, ils atteignent même des vitesses qu'aucun autre oiseau ne peut égaler (p. 58). Grands et petits faucons, telles les crécerelles, vivent dans les milieux ouverts (franges désertiques, toundra, landes, prairies). Les faucons forestiers, hôtes de taille modeste des jungles tropicales, sont mal connus. Quant aux fauconnets, ce sont les membres les plus menus de la famille et de tous les rapaces (p. 58). Très différents, les caracaras sont pourtant aussi des Falconidés (p. 11). Originaires d'Amérique centrale et du Sud, ils passent beaucoup de temps à fouir sous les branches et les pierres à la recherche de nourriture.

Le faucon hobereau est si vif qu'il peut attraper des martinets en plein vol.

LA CHASSE À GRANDE VITESSE
Beaucoup de faucons chassent en volant très haut au-dessus de leur proie et en piquant sur elle à très grande vitesse pour l'attaquer par-derrière en plein vol. Parfois, ils parviennent à l'attraper. Mais souvent, ils ne peuvent que la frapper et continuer leur course. Ils reviendront très vite, soit pour ramasser l'oiseau mort tombé à terre, soit pour le saisir en pleine chute avant qu'il ne touche le sol.

Les ailes très mobiles des caracaras leur permettent des décollages verticaux.

CURIEUX COUSINAGE
Biologiquement apparentés aux faucons, les caracaras ont néanmoins un aspect et des mœurs très distincts. Au lieu de mener des chasses aériennes, ils sont charognards, comme les vautours. Hauts sur pattes, ils courent plus vite qu'ils ne volent.

QUE JEUNESSE SE PASSE
Le plumage juvénile d'un faucon présente souvent des raies verticales sur la poitrine et un liséré chamoisé sur les plumes des épaules et du dos. L'oiseau le perd généralement à la première mue mais, en attendant la maturité, il permet au jeune faucon de chasser sur le territoire des adultes sans s'en faire éconduire (p. 15). Les faucons nés dans les pays chauds sont souvent plus clairs que ceux des régions froides car le soleil délave leurs couleurs.

AMATEUR DE SOLEIL
Le faucon lanier se rencontre dans certaines parties de l'Europe et du Moyen-Orient, ainsi qu'en Afrique, sauf dans les régions de forêt dense ou dans les déserts. Il capture des petits oiseaux en plein vol et chasse aussi des insectes, des petits mammifères et des reptiles. L'espèce est bien représentée en Afrique mais reste rare en Europe. En Israël, un programme d'élevage et de réintroduction est en cours. Il semble se dérouler dans de bonnes conditions.

Faucon pèlerin nichant au sol ; l'espèce ne s'y résout que si elle ne trouve pas de falaises ou de constructions utilisables.

LE CHOIX DU LOGIS
Comme les rapaces nocturnes, les faucons ne bâtissent pas de nid. Les petites espèces et les faucons forestiers utilisent des nids abandonnés ou des cavités dans les arbres. Les plus grands préfèrent les corniches des falaises rocheuses, voire des bâtiments. Ils y aménagent un creux et y pondent leurs œufs.

Les crécerelles sont communes dans de nombreuses villes.

FAUCONS DES VILLES
Les crécerelles et quelques autres faucons se sont aperçus que les hauts bâtiments offrent, comme les falaises rocheuses, des corniches et des cavités susceptibles de les abriter et que, là où vit l'homme, il y a beaucoup d'animaux qui sont des proies pour eux. Cependant, les jeunes faucons, par manque d'expérience, peuvent se faire écraser par les voitures.

Jeunes crécerelles de l'île Maurice

LA CHASSE EN SUSPENSION
Il existe dans le monde treize espèces de crécerelles. Toutes sont capables de vol sur place (p. 19), certaines mieux que d'autres. En s'immobilisant dans les airs, elles prennent tout le temps de scruter le sol pour y localiser des proies que les autres faucons des milieux ouverts, trop rapides, ne peuvent pas repérer. Elles attrapent ainsi de plus petits animaux que ces derniers qui consomment essentiellement des oiseaux.

SANS ISSUE DE SECOURS
La crécerelle de l'île Maurice est le faucon le plus rare du monde, essentiellement en raison de la destruction de sa forêt d'accueil. Un programme d'élevage et de réintroduction l'a sauvée de l'extinction. Les petites populations sont toujours vulnérables, particulièrement si elles vivent sur des îles où elles n'ont pas d'autre endroit pour se réfugier.

DIMORPHISME SEXUEL
Chez certains rapaces, les plumages mâle et femelle diffèrent, mais cette distinction n'est perceptible que lorsque les oiseaux atteignent l'âge adulte. La crécerelle américaine constitue l'exception : la différence est visible dès les premières plumes. Cette femelle subadulte de faucon lanier (à gauche) est assez semblable au mâle du même âge. Seule la taille les oppose : elle est plus grosse que lui d'un tiers environ, un phénomène habituel chez les faucons.

Les barres sombres de chaque côté du bec sont appelées moustaches.

Chez les immatures, les plumes des couvertures alaires ont une bordure chamoisée.

Faucon lanier femelle adulte

Le haut de la poitrine est souvent moins marqué que le bas.

Faucon lanier femelle subadulte

DES CARACTÈRES VARIABLES
On peut apprendre beaucoup de choses d'un oiseau d'après son plumage. Chaque espèce a ses variations, suivant l'individu et la région. Ainsi, certains faucons laniers ont un plumage plus coloré que leurs semblables et peuvent avoir des plumes plus rousses sur la tête et le dos. Ces sujets adultes du sud de l'Afrique, par exemple, ont une poitrine rosée sans mouchetures, tandis que ceux du Nord sont souvent très tachetés.

Les stries des juvéniles disparaissent à la première mue.

Les faucons ont des doigts plus longs que ceux des éperviers.

Les plumes de la queue font office de gouvernail et d'aérofrein.

CHOUETTES ET HIBOUX : CHASSEURS DE L'OMBRE

Il existe un peu plus de 170 espèces de chouettes et de hiboux, depuis la minuscule chevêchette elfe, qui ne pèse que 40 gr, jusqu'au grand-duc d'Europe, un imposant animal de 3 kg. Ces oiseaux ont une vue excellente, de jour comme de nuit. Mais, pour des chasseurs nocturnes, l'oreille est un détecteur de proies beaucoup plus efficace que l'œil. Ils bénéficient d'une ouïe extraordinaire. Pratiquant une chasse furtive, les rapaces nocturnes volent avec souplesse, lentement et en silence, afin de mieux surprendre leurs victimes. Ils reproduisent à peu près tous les modes de prédation de leurs homologues diurnes et ils ont donc le même rôle écologique. Seuls manquent à l'appel de la nuit les charognards (les cadavres sont difficiles à repérer la nuit) et les champions de vitesse. La plupart se reposent durant la journée et, pour bien se camoufler des autres prédateurs, leur plumage ne présente pas de couleurs vives.

CHANTEUSE DE MINUIT
La chouette hulotte possède le chant le plus connu de tous les oiseaux de nuit vivant sous nos latitudes : le « hooû, ou-ou » que les mâles poussent volontiers en période de nidification. Elle émet aussi un cri strident très sonore. Comme beaucoup d'autres rapaces, elle aime chasser à l'affût (p. 26-27). Perchée, calme et immobile, elle épie les bruits de la nuit et les moindres mouvements, pour fondre sur la première proie repérée.

Les jeunes rapaces nocturnes apprennent vite à avaler leurs proies entières.

LES AILES SILENCIEUSES DE LA NUIT
Les rapaces nocturnes, comme ce grand-duc, ont un vol totalement silencieux. Leurs plumes sont entièrement couvertes d'un duvet extrêmement fin, et le bord d'attaque des rémiges primaires externes est dentelé comme un peigne. Ces dispositifs ont pour effet d'atténuer les bruits de frottement, tant des plumes entre elles que de l'air le long du corps, de sorte que ces oiseaux n'émettent aucun bruit en battant des ailes et que leurs proies ne les entendent pas venir. N'étant pas particulièrement rapides ou agiles, ils comptent sur l'effet de surprise pour parvenir à leurs fins.

Epais plumage isolant, dont les mouchetures ont un effet camouflant

Sur les doigts, les grands-ducs ont des plumes qui peuvent les protéger des morsures.

CHANTS SAUVAGES
La ninox boubouk est une petite chouette présente en Indonésie, en Australie et en Nouvelle-Zélande. Elle doit son nom à son ululement caractéristique. Plusieurs autres rapaces nocturnes ont également une dénomination en rapport avec les cris qu'ils émettent. Il existe ainsi une autre ninoxe dite aboyeuse, un hibou criard, une chouette hulul. Le rôle des chants est d'attirer les partenaires et d'affirmer la domination sur les territoires.

La coloration de la ninox boubouk lui permet de rester bien camouflée durant la journée.

Les jeunes rapaces nocturnes sont couverts d'un épais duvet pour les protéger du froid.

Les chouettes effraies sont capables d'attraper des rongeurs dans l'obscurité totale, au moyen de leur seule ouïe.

ALLIÉES DES CULTIVATEURS

Rapaces nocturnes d'un type particulier, les chouettes effraies (ou effraies des clochers) sont classées dans une famille à part : celle des tytonidés. Tous les autres sont réunis au sein des strigidés. Les effraies se rencontrent dans le monde entier. Elles vivent souvent tout près de l'homme, dans les fermes, car elles y trouvent en quantité les petits rongeurs dont elles se nourrissent. On les rencontre ainsi fréquemment sous les toits, dans les granges et les greniers. Mais tous les lieux sûrs, abrités et tranquilles peuvent aussi bien faire l'affaire : les balles de paille, les arbres creux, voire le sol lui-même si le site le permet.

PONTES DÉCALÉES

Les petits des rapaces nocturnes présentent souvent, comme ces jeunes grands-ducs, des tailles différentes au sein d'une même couvée. Tous les œufs ne sont pas pondus le même jour et, comme la mère commence à couver presque dès le premier œuf déposé, il peut exister une grande différence entre l'aîné et le benjamin. C'est ce qu'on appelle des éclosions asynchrones. Les nocturnes grandissent un peu moins vite que les autres rapaces ; ils sont pleinement développés à l'âge de douze semaines.

La couleur blanche du harfang des neiges le rend peu visible sur la neige.

CHOUETTES DE LA LUMIÈRE

La plupart des chouettes et hiboux sont nocturnes, chassant la nuit ou aux heures crépusculaires. Mais certaines espèces sont diurnes. C'est le cas du harfang des neiges et des autres membres de la famille vivant en Arctique. Ils n'ont d'ailleurs pas le choix car l'été, dans ces régions, les jours sont si longs que la nuit ne tombe jamais.

Les énormes yeux des rapaces nocturnes sont très fragiles.

Rémiges secondaires

Rémiges primaires

SUR LA DÉFENSIVE

Un rapace nocturne défendant son nid ou sa vie peut être très courageux. Et pour paraître plus gros et impressionnant qu'il ne l'est en réalité, il étale largement ses ailes en les retournant afin d'en présenter la face dorsale. La chevêchette perlée possède, sur les plumes de derrière la tête, deux taches blanches qui ressemblent à de gros yeux faisant face à un éventuel attaquant.

Pour de nombreux rapaces, un petit campagnol comme celui-ci est un mets de choix.

GOBÉES D'UN SEUL TRAIT

Les nocturnes, plus que les autres rapaces, aiment engloutir leurs proies entières lorsque leur taille le permet. Ils consomment des rongeurs en quantité et d'autres animaux très variés. Nombreux sont ceux, notamment parmi les petites espèces, qui se nourrissent d'insectes. Les pêcheurs mangent des poissons, la chouette à lunettes des crabes, les grands-ducs des lapins, des lièvres et même des faucons pèlerins surpris la nuit dans leur repos.

RECHERCHE HABITAT TRANQUILLE LE JOUR

Les rapaces nocturnes nichent de manière très variée. Certains utilisent des trous dans les arbres, des bâtiments en ruine, des granges, des ponts, ou reprennent des nids abandonnés. Le grand-duc de Virginie réutilise souvent de vieux nids d'éperviers, voire des nids habités en tuant les occupants. Chouettes et hiboux sont des oiseaux assez secrets et, s'ils se tiennent dissimulés le jour, c'est en partie parce que les autres oiseaux les craignent. Ces derniers savent en effet que les rapaces peuvent causer leur mort durant la nuit et même de petits passereaux comme les mésanges n'hésitent pas à les harceler et à tenter de les éloigner. Les pies et les corbeaux les tuent s'ils le peuvent.

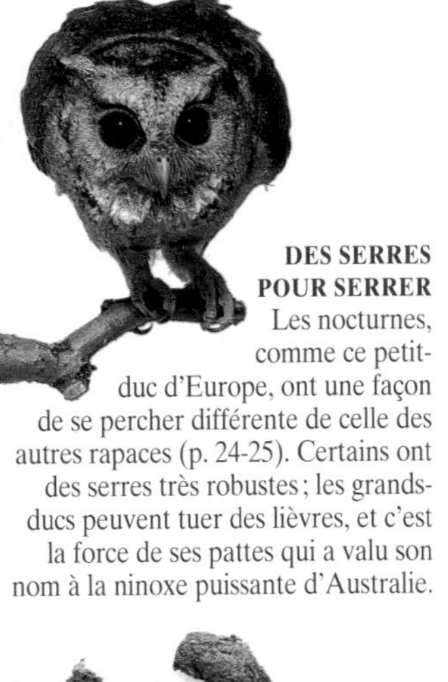

DES SERRES POUR SERRER
Les nocturnes, comme ce petit-duc d'Europe, ont une façon de se percher différente de celle des autres rapaces (p. 24-25). Certains ont des serres très robustes ; les grands-ducs peuvent tuer des lièvres, et c'est la force de ses pattes qui a valu son nom à la ninoxe puissante d'Australie.

QUELLE BOULETTE !
Comme beaucoup d'autres oiseaux, les chouettes et les hiboux produisent des pelotes de réjection (p. 22-23). Ils avalent en effet leurs proies entières, y compris les parties non digestibles : poils, os, plumes et même de petites coquilles. Ces éléments sont assemblés dans l'estomac en petites boules qui sont régurgitées.

SAGE COMME UNE CHOUETTE
Les chouettes sont symboles de sagesse depuis la Grèce antique. Le nom scientifique de la chouette chevêche, *Athene noctua*, dérive d'ailleurs de celui de la déesse grecque Athéna, à laquelle l'image du petit rapace nocturne était associée.

Crâne de grand duc

DES YEUX DE CHASSEUR
Les chouettes et les hiboux ont des yeux énormes dirigés vers l'avant et proches l'un de l'autre. Leur champ visuel se superpose donc, offrant une vision binoculaire (p. 30-31). Ces oiseaux perçoivent ainsi le relief et ont une très bonne notion des distances, ce qui est essentiel pour la chasse. En comparaison, un pigeon, dont les yeux sont situés de chaque côté de la tête, possède un champ de vision de 340° (celui des rapaces nocturnes n'est que de 110°). Le pigeon peut donc, sans tourner la tête, voir arriver un prédateur dans toutes les directions, mais sa vision tridimensionnelle est réduite et il perçoit beaucoup moins bien les distances.

Pour éloigner les prédateurs de son terrier, elle émet un bruit ressemblant à celui du serpent à sonnette.

Les champs de vision des deux yeux se superposent sur un angle de 65°, dans lequel l'oiseau a une vision en trois dimensions.

L'anneau sclérotique est un manchon osseux qui protège une grande partie du globe oculaire.

COLONIES SOUTERRAINES
La plupart des rapaces nocturnes sont solitaires, mais la chouette des terriers vit en colonie. Habitant l'Amérique du Nord, elle niche dans des galeries creusées dans le sol et abandonnées par les écureuils et les chiens de prairie. Ces terriers peuvent atteindre 2,7 m de profondeur. Les disques faciaux des chouettes des terriers sont peu développés, ce qui s'explique par le fait que son activité est surtout diurne. Elle n'a donc pas besoin d'une ouïe aussi fine que ses cousins nocturnes.

La chouette des terriers se tient souvent sur les monticules qui dominent ses galeries pour surveiller les alentours.

Cette espèce de chouette parvient à pénétrer dans des trous de 10 cm de diamètre seulement.

De tous les nocturnes, la chouette des terriers possède sans doute les pattes les plus longues par rapport à son corps.

OISEAUX DE NUIT, TOUS SENS EN ÉVEIL

Les chouettes et les hiboux sont connus pour leur excellente vision nocturne. Ils ne peuvent rien voir dans l'obscurité totale, mais savent tirer parti de la plus infime luminosité, comme celle des étoiles ou de la Lune. Toutefois, la localisation des proies s'effectue autant, sinon plus, grâce à l'ouïe. Chez la plupart des oiseaux, l'ouverture du conduit auditif est toute petite ; celle des rapaces nocturnes est une longue fente parcourant presque toute la tête. Certaines espèces possèdent des oreilles asymétriques : l'une est située plus haut que l'autre, ce qui leur permet de localiser précisément la source du bruit.

Comme cette effraie, les nocturnes peuvent presque retourner la tête à l'envers.

Au total, la tête d'un rapace nocturne pivote sur plus de 360°.

A partir de sa position normale, la tête peut tourner sur 270° de chaque côté.

Chouette hulotte vue de dos, la tête tournée

Les aigrettes des hiboux n'ont rien à voir avec les oreilles, mais signalent peut-être l'humeur de l'oiseau.

Les disques faciaux concentrent lumière et sons.

Vulnérables, les gros yeux se ferment au moment de frapper la proie.

UNE ANTENNE SUR LA NUIT

La structure de leur face joue un rôle important dans la perception auditive et visuelle des rapaces nocturnes, comme ce grand-duc du Bengale. Ils possèdent autour de chaque œil un disque facial qui agit comme une parabole et concentre la lumière et les sons. Les disques sont généralement délimités par un anneau de petites plumes en forme de soies.

La bouche est beaucoup plus grande que ne le laisse supposer la taille du bec.

FAUCONNIER MOGHOL
La fauconnerie est pratiquée depuis longtemps en Inde par les seigneurs et les puissants. L'illustration ci-dessus, réalisée vers 1620, est typique de l'art moghol. Venus d'Afghanistan, les Moghols étaient des musulmans qui conquirent l'Inde au XVIe siècle et la dominèrent jusqu'au milieu du XIXe siècle.

LES RAPACES ET L'HOMME : UNE LONGUE HISTOIRE

Les rapaces suscitent depuis longtemps croyances et fascination. Dans les cultures anciennes de tous les continents et dans de nombreuses religions, ils sont des symboles importants. L'aigle, considéré comme le roi des oiseaux, incarne la force, la fierté, la victoire, l'autorité ; on l'associe au Soleil, à la royauté, aux divinités, notamment celles du ciel. La chouette peut symboliser la sagesse ou bien, parce que c'est un oiseau de nuit, la mort, la malchance, et son cri être interprété comme un sombre présage. Sur un plan plus pratique, l'homme chasse avec les rapaces depuis des temps reculés ; les témoignages les plus anciens que l'on en ait remontent à 4 000 ans, en Asie centrale. La fauconnerie a été très répandue durant des siècles en Chine, en Inde, au Moyen-Orient et en Europe.

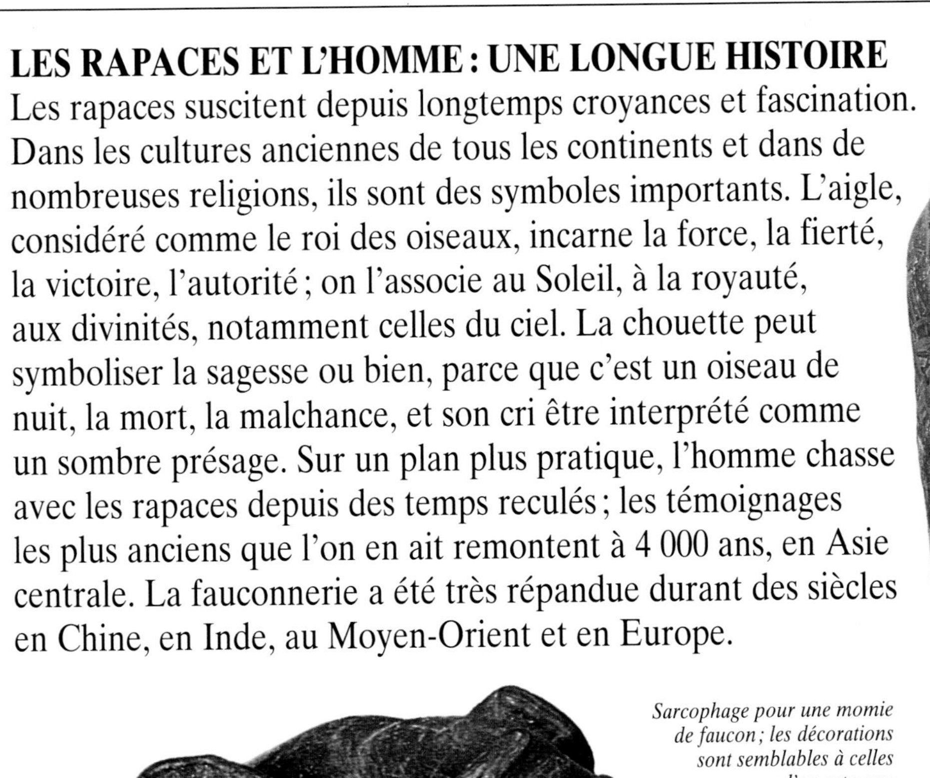

Sarcophage pour une momie de faucon ; les décorations sont semblables à celles que l'on retrouve sur les sarcophages des hommes.

RAPACES SACRÉS
Dans la mythologie égyptienne, beaucoup de dieux et de déesses étaient associés à des animaux tels que la vache, le vautour et le faucon. Certains étaient même installés dans des temples pour symboliser ces divinités. Il y avait ainsi un dieu à tête de faucon appelé Horus, ce qui signifie « celui qui est grand ». Des faucons, comme on le voit ci-dessus, étaient momifiés et placés dans les tombes aux côtés des rois.

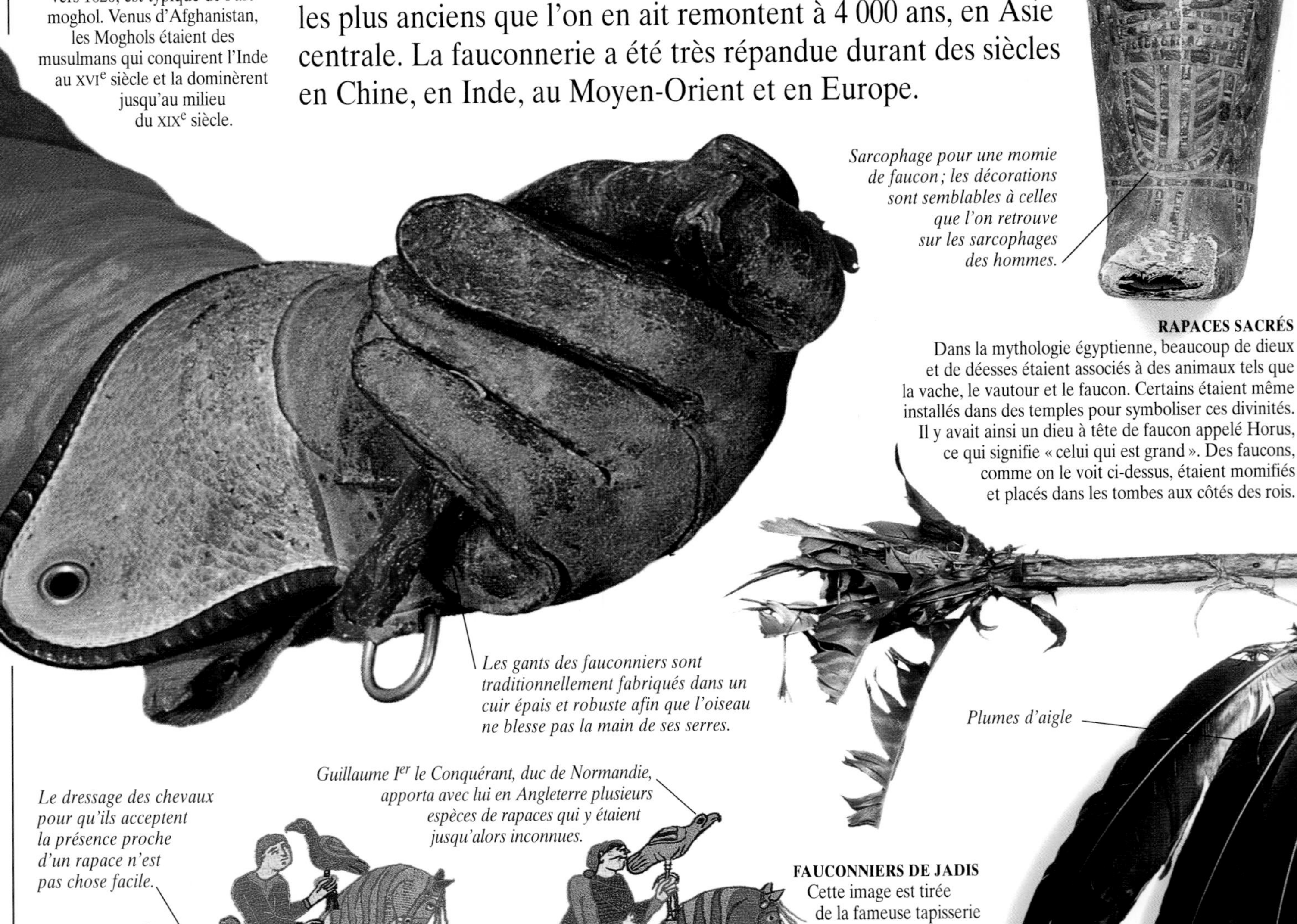

Les gants des fauconniers sont traditionnellement fabriqués dans un cuir épais et robuste afin que l'oiseau ne blesse pas la main de ses serres.

Plumes d'aigle

Le dressage des chevaux pour qu'ils acceptent la présence proche d'un rapace n'est pas chose facile.

Guillaume Ier le Conquérant, duc de Normandie, apporta avec lui en Angleterre plusieurs espèces de rapaces qui y étaient jusqu'alors inconnues.

FAUCONNIERS DE JADIS
Cette image est tirée de la fameuse tapisserie de la reine Mathilde, conservée à Bayeux, qui célèbre la conquête de l'Angleterre par Guillaume Ier le Conquérant en 1066. On raconte que le premier fauconnier en Angleterre fut un roi saxon du Kent, Ethelbert II, qui régna au VIIe siècle. Le plus célèbre fauconnier dans l'histoire de l'Europe fut l'empereur d'Allemagne Frédéric II, qui vivait au XIIIe siècle. Il perdit une bataille parce qu'il était parti à la chasse.

Masque en plâtre peint pour une momie de faucon

L'épervier de Cooper est presque à la verticale quand il s'apprête à se poser.

On pense que ce bijou était passé dans un trou pratiqué dans la lèvre inférieure.

COQUETTERIE
Parce que les rapaces ont toujours été hautement considérés, ils ont souvent inspiré la création de bijoux et de sculptures. Des têtes d'aigle en or comme celle-ci étaient fabriquées comme ornements labiaux par les Mixtèques de Mexico, qui étaient les orfèvres de l'empire aztèque. Les rapaces figurent également souvent sur les objets utilisés dans les rituels religieux.

Momie du faucon

Les attaches en cuir sont une invention moderne.

CONNIVENCE
Voir un oiseau sauvage comme cet épervier de Cooper voler vers vous et se poser délibérément sur votre poignet est une expérience magique. Il existe un lien réel et puissant entre le fauconnier et son rapace, et c'est ce qui a provoqué l'intérêt pour cette discipline dans le monde entier, dans des cultures et en des temps très différents. De nos jours, alors que la chasse n'est plus une nécessité vitale, la fauconnerie a conservé toute sa force de fascination.

L'épervier projette haut les pattes pour préparer sa réception.

LES AIGLES ET LE GRAND ESPRIT
Le pygargue à tête blanche et l'aigle royal ont longtemps été sujets de culte pour les Indiens d'Amérique du Nord. Leurs plumes étaient collectées et utilisées à des fins ornementales très variées, dont les plus célèbres étaient les coiffes. Ce bâton de sorcier (à gauche) était agité sur le rythme des tam-tams et des crécelles lors de la danse de l'aigle dans les tribus cherokee.

SPORT DU DÉSERT
La fauconnerie est pratiquée au Moyen-Orient depuis des siècles. A l'origine, comme partout ailleurs, elle constituait un moyen de se procurer de la nourriture. De nos jours, c'est devenu un loisir. Les faucons sont souvent transportés à pied d'œuvre en avion et les chasses plus souvent suivies dans des autos tout terrain qu'à dos de dromadaire…

LE DRESSAGE DES RAPACES DE FAUCONNERIE

Le principe de la fauconnerie consiste à habituer un rapace à céder sa proie à l'homme une fois qu'il l'a tuée, ou bien à revenir vers son dresseur s'il l'a manquée. Chaque fois, l'animal reçoit une récompense sous forme de nourriture. La première étape du dressage vise à faire comprendre à l'oiseau que le fauconnier est son ami. Pour cela, il est posé sur le poing de l'homme protégé par un gant et on le persuade d'accepter la friandise offerte. Ensuite, on l'entraîne à sauter de lui-même sur le poing pour venir chercher l'appât-récompense. On augmente progressivement la distance jusqu'à 100 m environ, le rapace étant toujours attaché au fauconnier par un lien de longueur adaptée. Une fois qu'on est sûr que l'oiseau a appris ce qu'il doit faire et qu'il reviendra bien quand le dresseur l'appellera, on le laisse voler librement.

Fauconnier anglais du XVIe siècle

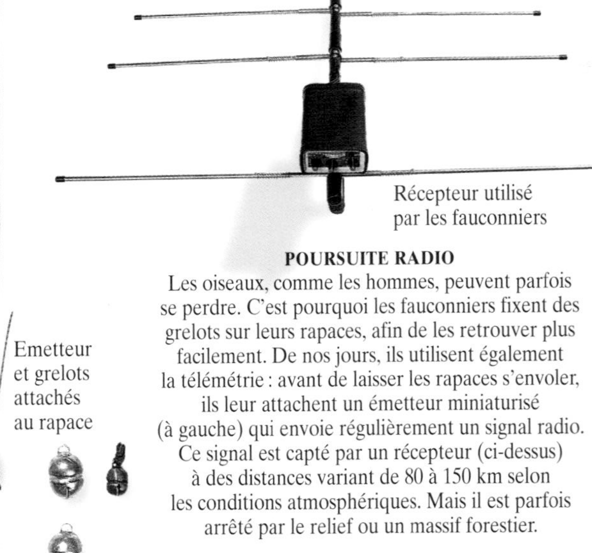

Récepteur utilisé par les fauconniers

POURSUITE RADIO

Les oiseaux, comme les hommes, peuvent parfois se perdre. C'est pourquoi les fauconniers fixent des grelots sur leurs rapaces, afin de les retrouver plus facilement. De nos jours, ils utilisent également la télémétrie : avant de laisser les rapaces s'envoler, ils leur attachent un émetteur miniaturisé (à gauche) qui envoie régulièrement un signal radio. Ce signal est capté par un récepteur (ci-dessus) à des distances variant de 80 à 150 km selon les conditions atmosphériques. Mais il est parfois arrêté par le relief ou un massif forestier.

Emetteur et grelots attachés au rapace

Pièces composant les jets fixés aux pattes de l'oiseau

Jet complet relié à une corde

Emerillons...

... pour vautour

... pour aigle

... pour épervier

... pour faucon

Le chaperon a pour but d'aveugler l'oiseau, donc de le persuader de rester calme et tranquille en lui faisant croire qu'il fait nuit.

Faucon pèlerin

POIDS TRÈS SURVEILLÉ

La pièce la plus importante de l'équipement du fauconnier est sans doute la balance. Celui-ci connaît en effet le meilleur poids de vol de chaque oiseau, et doit peser ses animaux chaque jour avant de les emmener travailler. Si un rapace est trop lourd, il risque de ne pas avoir assez faim pour vouloir voler, ou bien d'aller se percher dans un arbre pour s'y reposer et ne pas revenir. S'il est trop léger, il peut être trop assidu à la recherche des proies et, là encore, ne pas revenir. La recherche du bon poids est donc une garantie indispensable pour le fauconnier.

Les poids doivent être très précis.

Chaperon anglo-indien

Chaperon hollandais

Chaperon cambré

Chaperon arabe

HARNACHEMENT COMPLET

Le rapace dressé porte différentes pièces d'équipement permettant au fauconnier de le contrôler. Il y a en premier lieu des lanières de cuir fixées aux pattes, appelées jets, qui permettent d'attacher l'animal. Elles jouent le même rôle que le collier du chien. Le fauconnier conserve sur lui de longues cordes qui peuvent être reliées aux jets par l'intermédiaire d'un émerillon. Il s'agit d'un maillon tournant qui évite aux jets de se vriller si l'oiseau effectue des tours sur lui-même. Dans le cas où le rapace au repos doit se trouver sur un perchoir à l'air libre, il y est attaché par une laisse passée, là encore, dans l'émerillon.

Le fauconnier doit effectuer son nœud d'une seule main car, sur l'autre, il porte le rapace.

Musette de fauconnier à plusieurs poches

Les morceaux de viande servant de récompenses pour l'oiseau sont stockés dans une poche.

Paire de jets de rechange

Leurre en lapin pour entraîner les éperviers et les buses à chasser

Faux lapin

Gant de fauconnerie rembourré

Une paire d'ailes naturalisées auxquelles on attache un morceau de viande sert à entraîner les faucons.

LE LONG PARCOURS DU FAUCONNIER

La fauconnerie nécessite un long apprentissage. Une simple erreur peut provoquer la mort ou la perte d'un rapace : lors du nourrissage, par exemple. Pendant le dressage, l'oiseau doit voler tous les jours, sauf en période de mue. L'homme doit traîner ou faire tourner des leurres, proies factices que l'animal devra chasser comme s'il s'agissait de vraies. Un fauconnier chevronné est capable de lâcher un faucon ou une buse en vol libre au bout d'une quinzaine de jours (leur dressage n'est pas achevé pour autant). Mais, avant d'en arriver là, il faut des années pour apprendre à comprendre, à dresser, à entretenir et à soigner les rapaces.

Corde

Cuisse de lapin (à gauche) et morceaux de viande de bœuf (ci-dessous) pour récompenser les oiseaux.

Couteau

Pince

Leurre

Les droitiers portent l'oiseau sur la main gauche et vice versa.

Le plumet sur le chaperon sert de poignée pour le mettre sur la tête de l'oiseau et l'en ôter.

La laisse doit être correctement enroulée, autrement l'oiseau pourrait se prendre dedans en virevoltant.

La ceinture maintient la musette plaquée contre le corps.

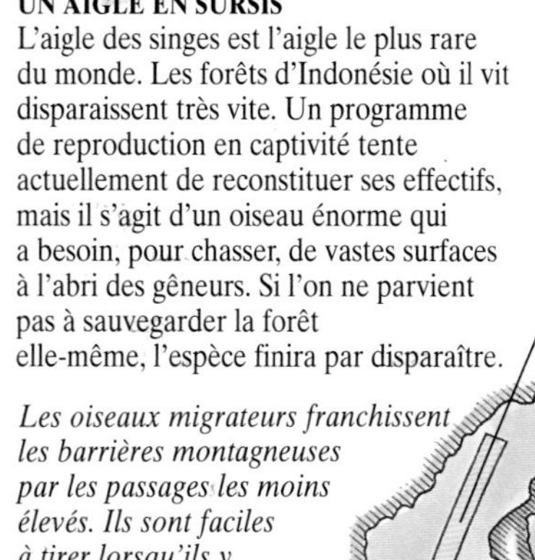

L'aigle des singes, l'un des plus grands du monde, est doté d'un bec particulièrement massif.

LES RAPACES EN DANGER

De nombreux rapaces nichent dans l'hémisphère nord et partent vers le Sud au début de l'hiver. Vingt-huit espèces entreprennent ainsi chaque année une migration complète, 42 autres des migrations partielles (seuls les individus vivant le plus au Nord quittent leur zone de reproduction). Les oiseaux fuient le froid, les jours trop courts et la nourriture trop rare. Ils reviennent au printemps suivant profiter des longues journées pour chasser les proies abondantes des étés septentrionaux. Mais la migration est une entreprise dangereuse : il faut affronter le mauvais temps et les chasseurs. Des centaines de milliers de rapaces sont tués chaque année par l'homme le long de leurs routes migratoires, non pas pour des raisons alimentaires mais simplement par plaisir. Des menaces plus graves que la chasse pèsent sur eux : la pollution et la destruction de leurs habitats. Les rapaces voient disparaître leurs milieux et disparaissent avec.

UN AIGLE EN SURSIS
L'aigle des singes est l'aigle le plus rare du monde. Les forêts d'Indonésie où il vit disparaissent très vite. Un programme de reproduction en captivité tente actuellement de reconstituer ses effectifs, mais il s'agit d'un oiseau énorme qui a besoin, pour chasser, de vastes surfaces à l'abri des gêneurs. Si l'on ne parvient pas à sauvegarder la forêt elle-même, l'espèce finira par disparaître.

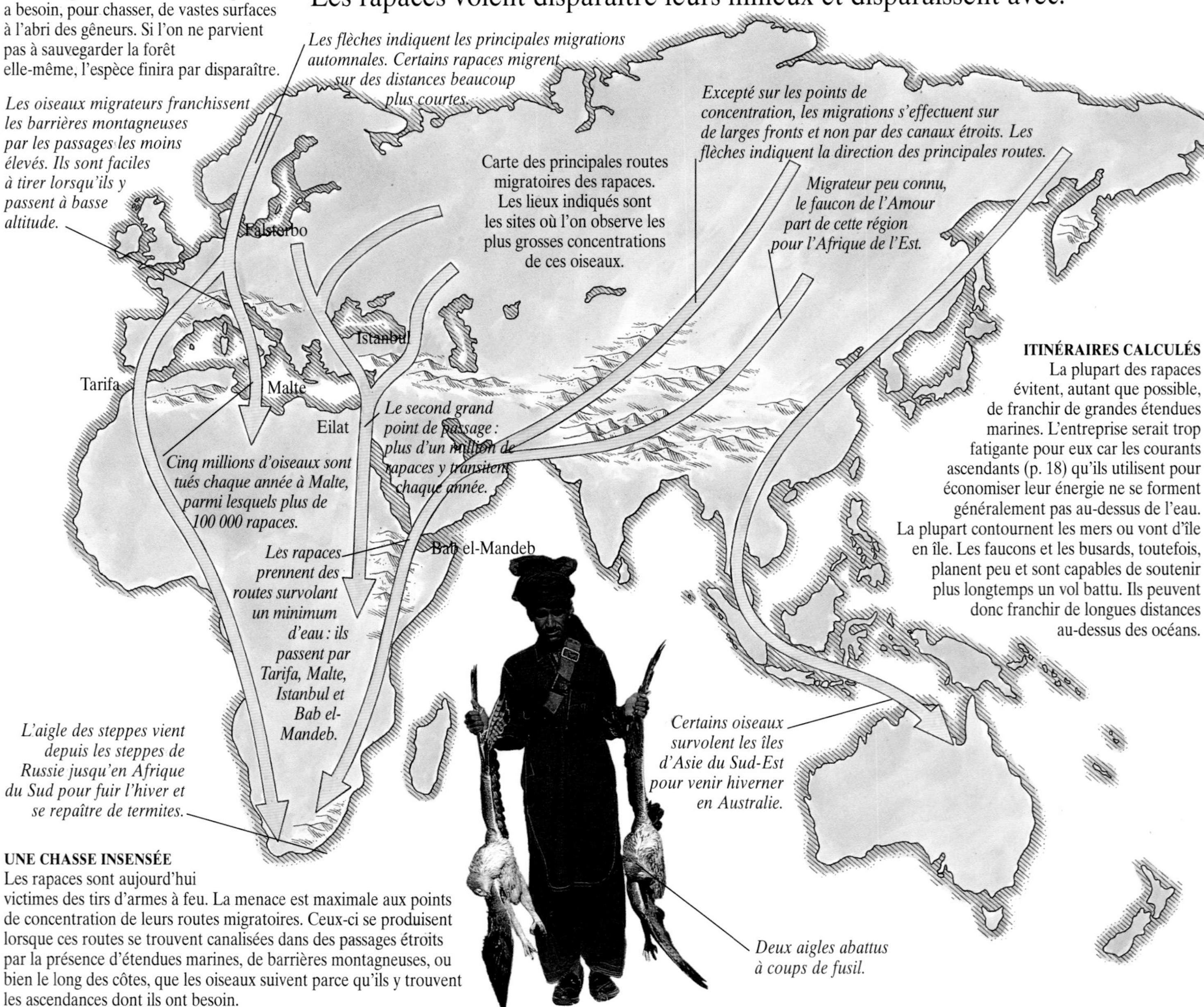

Les flèches indiquent les principales migrations automnales. Certains rapaces migrent sur des distances beaucoup plus courtes.

Les oiseaux migrateurs franchissent les barrières montagneuses par les passages les moins élevés. Ils sont faciles à tirer lorsqu'ils y passent à basse altitude.

Excepté sur les points de concentration, les migrations s'effectuent sur de larges fronts et non par des canaux étroits. Les flèches indiquent la direction des principales routes.

Carte des principales routes migratoires des rapaces. Les lieux indiqués sont les sites où l'on observe les plus grosses concentrations de ces oiseaux.

Migrateur peu connu, le faucon de l'Amour part de cette région pour l'Afrique de l'Est.

Le second grand point de passage : plus d'un million de rapaces y transitent chaque année.

Cinq millions d'oiseaux sont tués chaque année à Malte, parmi lesquels plus de 100 000 rapaces.

Les rapaces prennent des routes survolant un minimum d'eau : ils passent par Tarifa, Malte, Istanbul et Bab el-Mandeb.

L'aigle des steppes vient depuis les steppes de Russie jusqu'en Afrique du Sud pour fuir l'hiver et se repaître de termites.

Certains oiseaux survolent les îles d'Asie du Sud-Est pour venir hiverner en Australie.

Deux aigles abattus à coups de fusil.

ITINÉRAIRES CALCULÉS
La plupart des rapaces évitent, autant que possible, de franchir de grandes étendues marines. L'entreprise serait trop fatigante pour eux car les courants ascendants (p. 18) qu'ils utilisent pour économiser leur énergie ne se forment généralement pas au-dessus de l'eau. La plupart contournent les mers ou vont d'île en île. Les faucons et les busards, toutefois, planent peu et sont capables de soutenir plus longtemps un vol battu. Ils peuvent donc franchir de longues distances au-dessus des océans.

UNE CHASSE INSENSÉE
Les rapaces sont aujourd'hui victimes des tirs d'armes à feu. La menace est maximale aux points de concentration de leurs routes migratoires. Ceux-ci se produisent lorsque ces routes se trouvent canalisées dans des passages étroits par la présence d'étendues marines, de barrières montagneuses, ou bien le long des côtes, que les oiseaux suivent parce qu'ils y trouvent les ascendances dont ils ont besoin.

MIGRATIONS MARATHON

L'aigle des steppes effectue chaque automne le trajet depuis la Russie centrale jusqu'à l'Afrique du Sud. Un autre migrateur au long cours est le faucon de l'Amour, qui part du nord de la Chine pour l'Afrique de l'Est. Contrairement à beaucoup d'autres, il franchit l'océan Indien au lieu de le contourner.

PARTIRA, PARTIRA PAS ?

Certaines espèces ne quittent le Nord que lorsque les hivers sont particulièrement froids. Il se peut aussi que seuls certains individus partent ou bien que toute la population d'une région quitte les lieux, mais en restant dans les limites de l'aire de reproduction de l'espèce. C'est ce qu'on appelle des migrations partielles. Bon nombre de rapaces, comme l'autour des palombes (ci-dessus), les éperviers et les buses, sont des migrateurs partiels. Souvent, les adultes se maintiennent plus vers le Nord que les juvéniles car ils sont meilleurs chasseurs et ont moins de difficultés à trouver leur nourriture.

DE LA TUERIE AU SANCTUAIRE

Hawk Mountain (« la Montagne aux éperviers »), en Pennsylvanie, aux Etats-Unis, est survolée tous les ans par de nombreux rapaces en migration. Jadis, beaucoup y étaient tués lors de leur passage, mais en 1934, elle fut achetée par des protecteurs de la nature qui en firent le premier sanctuaire pour rapaces du monde. Ils organisèrent les premiers comptages annuels et lancèrent des recherches sur ces oiseaux. Leur exemple a été suivi depuis partout dans le monde, comme en France au col d'Organbidexka, dans les Pyrénées.

POUR LES SUIVRE À LA TRACE

Afin de déterminer où, quand et sur quelles distances voyagent les oiseaux, les chercheurs placent des bagues de métal autour des pattes des oiseaux. Ceux-ci peuvent être bagués au nid, lorsqu'ils sont jeunes ou lors de captures de sujets adultes, relâchés ensuite. Lorsqu'ils sont recapturés ou retrouvés morts ailleurs, les informations sont transmises à un centre de collecte des données. Aujourd'hui, on peut aussi fixer des émetteurs radio balises sur les oiseaux qui sont alors suivis par satellite.

PERTES IRREMPLAÇABLES

Dans le monde entier, les forêts vierges sont abattues à une vitesse effarante, ce qui fait disparaître les habitats de nombreux rapaces et de beaucoup d'autres espèces vivantes. La destruction des milieux est le plus grave des problèmes affectant les rapaces, et plusieurs espèces, comme le pygargue malgache, sont aujourd'hui au bord de l'extinction. Dans l'ordre de la gravité, la pollution vient au second rang, notamment dans les pays où le DDT et autres pesticides toxiques à longue durée d'action sont encore employés.

LES RAPACES DE L'EXTRÊME

L'oiseau le plus rapide du monde, celui qui possède la plus grande envergure, celui qui attrape les plus grosses proies, sont tous des rapaces. Les restes fossiles témoignent de l'existence passée d'autres formes remarquables. Dans les plaines argentines, des ossements d'un oiseau préhistorique semblable au condor ont été trouvés. Son envergure atteignait huit mètres. Plus proche de nous, existait en Nouvelle-Zélande l'aigle de Haast, qui était d'un tiers plus gros que les grands rapaces actuels. Il s'est éteint au cours du dernier millénaire. Bien des espèces d'aujourd'hui risquent de connaître rapidement le même sort à cause de l'homme. Ces oiseaux sont menacés par les dommages que nous causons à l'environnement. Un chercheur a dit : « Un monde qui ne conviendrait plus aux rapaces ne conviendrait plus à l'humanité. »

LE ROI DE LA VITESSE
Le faucon gerfaut est le plus rapide de tous les faucons en vol normal et peut être aussi en piqué, car il est le plus gros et le plus lourd de tous. Mais les mesures de vitesse ont, jusqu'à présent, été effectuées sur des faucons pèlerin ; c'est pourquoi le record est attribué à cette dernière espèce.

L'OISEAU LE PLUS HAUT DU MONDE
La plupart des rapaces ne volent pas très haut, restant à basse altitude, à portée de leurs proies. Toutefois, durant leurs migrations, certains, comme les espèces planeuses à ailes larges, atteignent couramment de 5 000 à 6 000 m. On connaît un cas de vautour de Ruppell (ci-dessus) ayant heurté un avion à 10 000 m d'altitude au-dessus de la Côte d'Ivoire. Mais les raisons pour lesquelles l'oiseau volait si haut restent un mystère, l'espèce n'étant pas migratrice.

En piqué, les faucons ramènent leurs ailes le long du corps.

ÉCLAIR AILÉ
En piqué, les faucons sont les oiseaux les plus rapides du monde et le faucon pèlerin (à gauche) est généralement considéré comme celui qui détient le record. Sa vitesse maximale est discutée. Il atteint probablement couramment les 225 km/h mais, lors de piqués presque verticaux, certaines estimations avancent le chiffre de 110 m par seconde environ, soit 396 km/h !

S'ADAPTER POUR RÉUSSIR
Le milan noir est sans doute le plus commun de tous les rapaces du monde. Espèce très adaptable, l'une des raisons de son succès est qu'il mange presque n'importe quoi, depuis les poissons jusqu'aux restes trouvés dans les décharges d'ordures. L'autre raison, c'est qu'il s'accommode très bien de la proximité de l'homme, caractéristique qu'il partage avec les crécerelles américaines et européennes, qui comptent également parmi les espèces les plus nombreuses.

Le milan noir présente la queue fourchue typique des milans.

Le fauconnet d'Afrique est un tout petit, et néanmoins véritable, rapace.

DES FAUCONS EN MINIATURE
Les sept espèces de fauconnets sont en tout point des rapaces qui capturent pour se nourrir des insectes, des lézards et même des oiseaux presque aussi gros qu'eux. Ce sont simplement les plus petits rapaces du monde. Parmi ceux-ci, le fauconnet d'Afrique (ci-dessus) est l'un des plus menus. Le plus petit est le fauconnet moineau, qui ne pèse que 28 à 55 g et mesure seulement 14 à 17 cm.

LE GÉANT DU CIEL
Le seul oiseau dont l'envergure dépasse les trois mètres du condor des Andes est l'albatros hurleur. En revanche, c'est bien le grand rapace d'Amérique du Sud qui présente la plus vaste surface alaire de toute la gent ailée. Il lui faut des ailes très larges pour obtenir la portance nécessaire à son maintien en vol car le condor peut peser jusqu'à 13,5 kg. De tous les rapaces, c'est peut-être également celui qui jouit de la plus longue durée de vie. Un individu qui avait été installé au zoo de Moscou en 1892 à un âge déjà adulte – c'est-à-dire au moins 5 ans – y est mort en 1964, alors qu'il devait avoir au moins 77 ans. A l'état sauvage, aucun sujet n'atteindrait une telle longévité. Reste que chez les rapaces, l'espérance de vie augmente avec la taille et que, de ce point de vue, les condors sont les mieux placés.

Ce chien labrador figure ici pour donner l'échelle.

L'aigle impérial bénéficie d'une protection spéciale mais on n'est pas sûr pour autant d'en éviter l'extinction.

SAUVÉ DE JUSTESSE
Le condor de Californie est probablement, à l'heure actuelle, le rapace le plus rare du monde. Dans les années 1980, en effet, en raison de la chasse, de la destruction des habitats, des empoisonnements par le plomb et de diverses autres perturbations, il n'en restait plus que 27 individus. Les derniers sujets sauvages furent finalement installés en captivité pour leur protection et leur reproduction. Fort heureusement, ces oiseaux se multiplient bien dans ces conditions, et on essaye actuellement de les rétablir dans la nature.

Les marques blanches sur les épaules distinguent l'aigle impérial de l'aigle royal, plus commun.

Le condor de Californie : une laideur renommée

Hôte des forêts, l'aigle harpie a des ailes relativement courtes et larges et une longue queue.

ARMES FATALES
L'aigle harpie est probablement le plus puissant de tous les rapaces. Il vit dans les forêts vierges d'Amérique du Sud et chasse des proies aussi volumineuses que les paresseux et les grands singes. L'envergure des serres de la femelle est de 20 à 23 cm, et la serre postérieure peut atteindre 9 cm de long ; plus que les griffes d'un ours grizzly !

UN RAPACE SOUS PRESSION
Beaucoup de rapaces figurent malheureusement sur la liste des espèces menacées. Parmi celles-ci, on trouve l'espèce ibérique de l'aigle impériale (ci-dessus), dont la population totale est sans doute descendue à 150 couples. Les raisons en sont, entre autres : les empoisonnements, le déclin du nombre des lapins dont il se nourrit et les électrocutions sur les lignes à haute tension. Un programme de reproduction en captivité a été lancé, mais il faudra beaucoup de temps pour obtenir des résultats probants.

Le condor des Andes a les plus grandes rémiges primaires du monde.

L'oiseau peut rentrer le cou dans sa collerette pour se maintenir au chaud.

Sur un terrain plat, le condor des Andes doit courir pour pouvoir décoller. Il préfère plonger du haut d'une falaise ou courir le long d'une pente.

INDEX

NOTES

Dorling Kindersley tient à remercier : tous les membres du National Birds of Prey Centre, près de Newent, Gloucestershire, England (Craig Astbury, John Crooks, Monica Garner, Ian Gibbons, Debbie Grant, Breeze Hale, Angie Hill, Philip Jones, Kirsty Large, Mark Parker, Mark Rich, Jan Stringer), The Booth Natural History Museum, Brighton (Jeremy Adams), le Dr Steve Parry, Sean Stancioff, Julie Ferris, Iain Morris, Bill Le Fever, Gilly Newman, John Woodcock, Iain Morris et Marion Dent Photographies complémentaires de Steve Gorton, Alex Wilson, C Laubscher

ICONOGRAPHIE

L'éditeur remercie les agences et personnes suivantes de leur aimable autorisation de reproduction :
h=haut, b=bas, c=centre, g=gauche, d=droite
Ardea, London : Eric Dragesco 24hg. British Museum : Front Cover hg, Back Cover hg, 50hd, 52hd/53hg. Bruce Coleman Collection : Jane Burton 49bg, Raimund Cramm 38bg, Peter Davey 58hd, Francisco J. Erize 12bc, Pekka Helo 43hd, Gordon Langsbury 36thg, Mary Plage 27hg, Marie Read 44cdb, N. Schwiatz 34cg, Uwe Walz 42 bd, Joseph Van Warmer 59 hg, Staffan Widstrand 16bd, Rod Williams 13hg. Cornell Laboratory of Ornithology, New York : L. Page Brown 38hg. Dover Publications : 10cd, 13cg, 32hg, 34c, 58hg. Mary Evans Picture Library : 40cl, 42tl, 43cl, 45tr, 46tr, 53bd, 54hg. Frank Lane Picture Agency : John Hawkins 39bc, E & D Hosking 56 bc, Alan Parker 47hd. Giraudon, Paris : 27cb, Avec Authorisation speciale de la Ville De Bayeux 52bg, 52hg. Robert Harding Picture Library : Photri inc. 36cd. Hawk Mountain Sanctuary Association, PA, USA : Wendy Scott 57cd. Peter Newark's Pictures : 42cgb. NHPA : Martin Wendler 57bd, Alan Williams 58cd. Jemima Parry-Jones : 11hg, 38bc, 40hg, 45cdb, 58bd, Miguel Lopez 41hg. Planet Earth : D. Robert Franz 37hg, Nick Garbutt 47cg, William S. Paton 47hg, David A Ponton 10cg, Mike Read 49hd, Ronald S. Rogoff 43hc, Johnathan Scott 44hc, 44cgb, Anup Shah 58cg. Kati Poynor : 35hg. RSPB : M. W. Richards 36bg. Frank Spooner Pictures : Gamma/F. Soir 57bg. Micheal Zabé : 53hc.